P9-CEX-404

BRETAGNE

Keith Spence

BRETAGNE

Photographies de Joe Cornish

Édition originale : George Philip

Publiée sous le titre Brittany

Traduction de Claude Mallerin

ISBN 2 87714 180 2

Imprimé en Italie

Page de titre : ***Une maison prise en sandwich entre deux rocs géants, près de la Pointe du Château, au nord de Tréguier dans les Côtes d'Armor.***

Sommaire

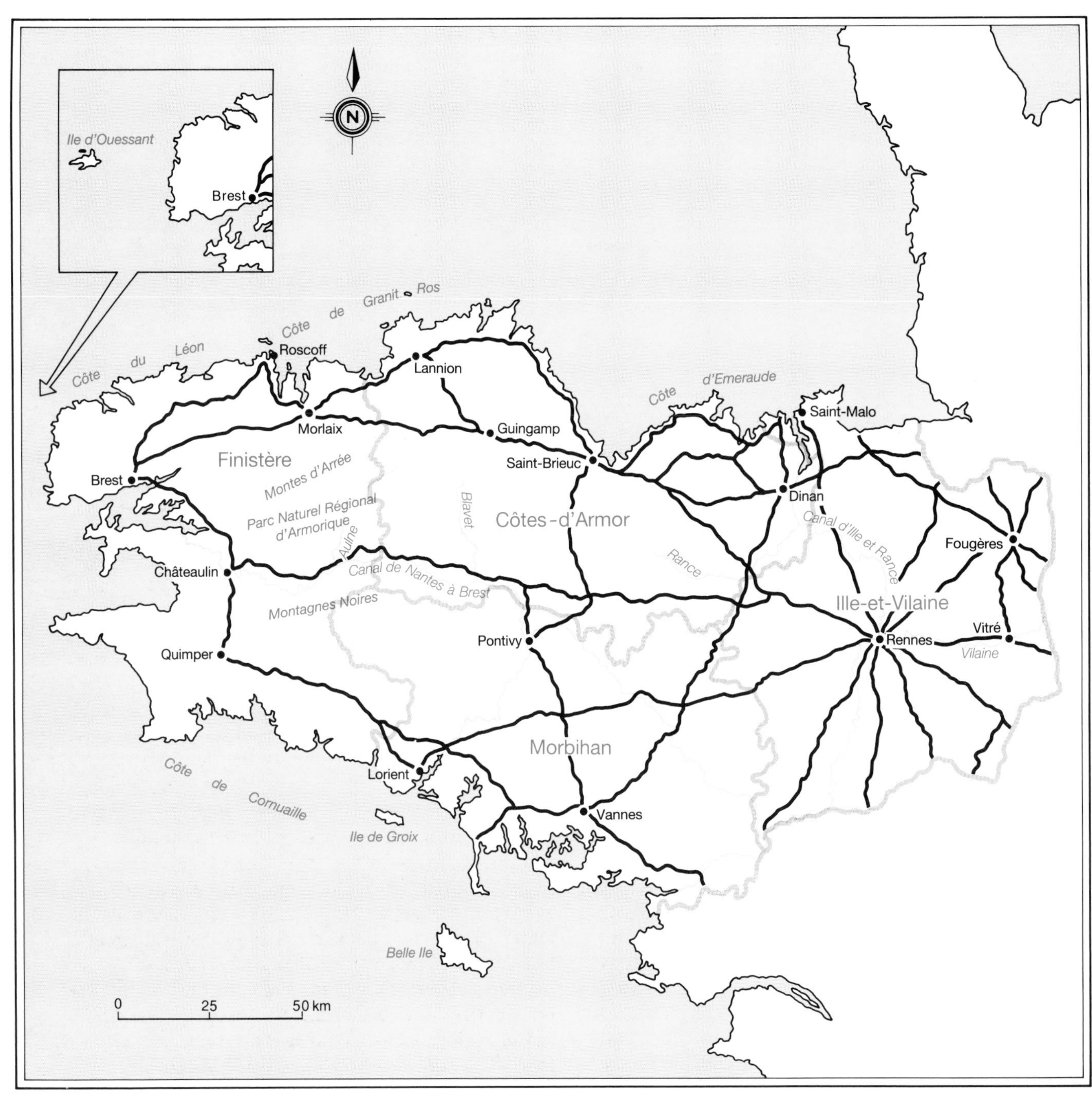

Ile d'Ouessant
Brest
Côte du Léon
Côte de Granit Ros
Roscoff
Lannion
Morlaix
Guingamp
Côte d'Emeraude
Saint-Malo
Saint-Brieuc
Finistère
Montes d'Arrée
Parc Naturel Régional d'Armorique
Brest
Blavet
Côtes-d'Armor
Dinan
Canal d'Ille et Rance
Fougères
Rance
Aulne
Châteaulin
Canal de Nantes à Brest
Ille-et-Vilaine
Montagnes Noires
Vitré
Rennes
Vilaine
Pontivy
Quimper
Morbihan
Lorient
Côte de Cornuaille
Vannes
Ile de Groix
Belle Ile
0
25
50 km

Introduction

Sur la carte, les contours de la Bretagne ressemblent à une gargouille se détachant du bord occidental de l'Europe continentale pour plonger dans l'Atlantique. Approximativement de la taille du Danemark, avec une population de 3 000 000 d'habitants, la Bretagne est une partie de la France, mais pour des raisons à la fois géographiques et historiques, elle n'a pas vraiment le sentiment d'être pleinement intégrée. Profondément découpées, ses 1200 kilomètres de côtes comptent des centaines de petites criques et bras de mer, où alternent falaises imposantes, anses sableuses, et étranges paysages lunaires de roches fragmentées. A l'intérieur des terres, les « montagnes » dépassent rarement 300 m, même si elles sont parfois aussi escarpées et sauvages que des collines trois fois plus hautes. Leurs petites dimensions n'empêchent pas qu'elles soient très anciennes ; vestiges du Massif armoricain, jailli de la mer lors d'un cataclysme géologique il y a 500 millions d'années, elles sont en effet dix fois plus vieilles que les Alpes. En Bretagne, le granit n'est jamais très loin de la surface, ce qui a toujours été fâcheux pour les agriculteurs à l'intérieur du pays, alors que depuis l'Age de pierre, les constructeurs et les sculpteurs ont appris à maîtriser cette roche, la plus dure de toutes, pour l'utiliser à leur avantage.

Comme le Pays de Galles, l'Irlande, la Galice, et les autres parts de la « frange celtique », la Bretagne a une histoire spécifique, distincte de celle du reste de la France. Cela a produit des différences qui se manifestent dans chaque aspect de la vie. Au cours des siècles, les Bretons ont développé leurs propres traditions, dans des domaines aussi divers que l'architecture religieuse, les fêtes et les festivals, la danse et la musique, les meubles et les costumes, la nourriture et la boisson. Et surtout, ils ont conservé leur propre langue, proche du gallois, bien que parlée par une minorité. Les indépendantistes bretons la revendiquent passionnément comme symbole de leur identité.

Pendant des dizaines de milliers d'années, la Bretagne fut habitée par des tribus nomades de chasseurs-agriculteurs, dont on peut voir les outils et les armes en silex dans les musées archéologiques, notamment ceux de Vannes et de Carnac. Mais les premières traces importantes laissées par l'homme préhistorique remontent à une époque plus tardive, celle de la sédentarisation, commençant autour du cinquième millénaire av. J.-C des pierres dressées et des chambres funéraires éparpillées dans la région, isolées au milieu d'un champ, enfouies au fond d'un bois, ou recouvertes par une construction moderne.

La Bretagne fait sa première apparition dans l'histoire connue de l'Europe vers le VIe siècle av. J.-C., lors de l'arrivée, dans la péninsule bretonne, des Gaulois, dont la langue n'est pas très éloignée du breton actuel. Ils appelèrent la côte et l'intérieur de leur nouveau pays respectivement, Armor, « la mer », et Argoat, « la forêt ». Comme le reste de la Gaule, la Bretagne fut conquise en 56 av. J.-C. par Jules César et devint la province romaine de Gallia Armorica. Pour les Romains, la Bretagne était une province pauvre et lointaine, et il ne reste que peu de marques de leurs quatre siècles d'occupation. Le pouvoir de Rome déclinant progressivement à partir du IIIe siècle, la Bretagne subit un nombre croissant d'attaques de pirates venus du nord et de l'est, et retomba dans un état proche du chaos.

C'est pendant cette période de troubles qu'arrivèrent les premiers missionnaires chrétiens, avec les réfugiés celtes du Pays de Galles et de Cornouailles, chassés par les envahisseurs angles et saxons. Ils apportèrent le nom romain « Britannia », qui se transforma en Bretagne, du nom du pays qu'ils avaient quitté, et ils remplacèrent le système religieux des druides par leur propre organisation celte, reposant sur une fédération souple de centres monastiques, très différente des divisions territoriales rigides de l'Eglise catholique romaine. Pratiquement, tout chef religieux, même le moins important, fut par la suite vénéré comme un saint, et la Bretagne en avait des milliers, inconnus du reste de l'Europe. Beaucoup de noms de lieux bretons datent de cette période : ceux dont la première syllabe était Lan ou Lam désignaient à l'origine des centres monastiques, tandis que le préfixe Plou signifiait « paroisse ». Parallèlement aux miracles légendaires accomplis par les saints, les actions tout aussi légendaires du roi Arthur et de ses chevaliers, revendiquées aussi bien par la Bretagne que par la Grande-Bretagne sont également l'objet de récits.

Située sur la partie occidentale de la presqu'île de Quiberon, la Côte Sauvage, rocheuse et battue par les vagues de l'Atlantique, présente un violent contraste avec les plages sableuses et abritées de la côte orientale.

Ces gracieux arcs-boutants s'élancent vers la voûte de l'église de Notre-Dame-de-Bon-Secours, au cœur de la ville historique de Guingamp.

Gouvernée pendant plusieurs siècles par une succession de chefs de guerre, la Bretagne n'émergea de l'âge des ténèbres qu'au IXe siècle. En 845, un noble breton du nom de Nominoé vainquit l'armée franque de Charles II le Chauve et fit de la Bretagne un royaume indépendant. La monarchie subsista pendant moins de cent ans, renversée au début du Xe siècle par les invasions normandes. Puis, en 937, Alain Barbe Torte (Alain à la barbe bouclée), petit-fils du dernier roi breton, battit les Normands et fonda le duché de Bretagne qui dura presque six cents ans.

Pendant cette période, la Bretagne joua un rôle important parmi les Etats en guerre d'Europe de l'Ouest. Si les ducs de Bretagne étaient loin d'avoir le pouvoir des dirigeants des provinces voisines, les plus prospères d'entre eux se montaient les uns contre les autres, avec ruse et diplomatie. A cette époque, la Bretagne était à l'apogée de sa splendeur culturelle et architecturale, avec des châteaux comme celui des ducs de Bretagne à Nantes, les forteresses de Fougères et de Vitré, les cathédrales de Quimper et de Vannes, et les premiers enclos paroissiaux du Finistère — ensembles raffinés de bâtiments ecclésiastiques uniques en Europe.

L'âge d'or du duché s'acheva en 1488, lorsque le duc régnant, François II, commit l'erreur d'engager une bataille de grande envergure contre l'armée française à Saint-Aubin-du-Cormier, et connut une défaite écrasante. François II mourut peu de temps après, laissant le duché à sa fille Anne, âgée de 11 ans. La dernière à gouverner une Bretagne indépendante, Anne épousa par ailleurs deux rois français, Charles VIII et Louis XII ; mais elle ne laissa pas de fils pour perpétuer la lignée ducale. Sa fille, Claude, épousa le roi français François Ier et, en 1532, le parlement breton céda le duché à la France.

Toutefois, la Bretagne garda une certaine autonomie jusqu'à la Révolution. Elle avait son propre parlement, les Etats, qui se réunit régulièrement jusqu'en 1788 pour décider des questions administratives locales. Bien que considérant avec nostalgie l'époque où le duché était indépendant, les Bretons s'assagirent quelque peu sous le contrôle centralisé de la France, exception faite de la « Révolte du papier timbré » en 1675, rébellion contre les impôts indirects, sous Louis XIV. Pendant la Révolution, les Bretons furent pour la plupart royalistes et, en 1790, beaucoup rejoignirent les Chouans, force anti-révolutionnaire, alliée aux Anglais. Cette opposition éphémère fut écrasée, lors du débarquement de Quiberon, en 1795.

Après la Révolution, la Bretagne, à l'instar du reste de la France, fut réorganisée en départements. Cette province connut pendant tout le XIXe siècle une période de stagnation, comme d'autres régions agricoles à la périphérie de l'Hexagone. Dans le cadre d'une politique de centralisation, on découragea l'enseignement du breton à l'école, mais cette langue resta vivante grâce à l'action de quelques ardents militants. La popularité de la Bretagne, comme lieu de vacances, principalement pour les touristes britanniques, commença vers 1850, avec la création de stations balnéaires à Dinard et en d'autres endroits de la partie septentrionale de la Côte d'Emeraude, et s'accrut avec la découverte, par des peintres comme Gauguin, du charme naturel de ses paysages et de sa population.

Pendant la Première Guerre mondiale, 250 000 Bretons furent tués — perte considérable pour une aussi petite région ; et pendant la Seconde Guerre mondiale, les Bretons furent des résistants très combatifs. On trouve sur toute la côte des traces de la guerre, sous forme de canons massifs et de blockhaus construits par une main-d'œuvre contrôlée par les Allemands. Certains blockhaus, parmi les plus petits, ont été convertis en résidences maritimes, pratiquement indestructibles. A la fin de la guerre, un grand nombre de villes bretonnes, notamment Brest, Lorient et Saint-Malo, souffrirent d'importants dégâts, lors des violents combats d'arrière-garde menés par les Allemands contre les forces de libération britanniques et américaines.

La dernière partie du XXe siècle a vu la renaissance générale de la Bretagne : renaissance agricole, concentrée dans le nord-ouest autour du port de Roscoff, alors que les firmes industrielles ont été encouragées à s'installer à Rennes et dans d'autres centres importants. Des rues piétonnes sont apparues dans les villes, grandes et petites, et, parallèlement à la mise en place de nouveaux grands axes routiers. les vieilles routes de campagne ont été restaurées. De nouvelles maisons jalonnent la campagne bretonne, mais on les remarque à peine, construites qu'elles sont dans le style breton traditionnel, avec des murs peints en blanc et des toits en tuile. Des marinas sont aménagées un peu partout sur la côte, tandis que les Britanny Ferries, transportant chaque année des milliers de vacanciers britanniques, de Portsmouth à Saint-Malo, et de Plymouth à Roscoff, voient sans cesse croître leur flotte. Les nouveaux TGV atlantiques ont réduit le temps du voyage de Paris jusqu'à Rennes à deux heures, ce qui risque de diminuer encore ce qu'il reste de campagne et de

Une berge tranquille à Pont-Aven, où Gauguin et beaucoup d'autres peintres venaient exercer leur art dans les années 1880 et 1890. Cette petite ville est encore aujourd'hui un centre artistique.

Cette balance sculptée dans la clef de voûte d'une fenêtre à Rochefort-en-Terre indique qu'il s'agissait de la maison d'un marchand.

côtes non polluées, la Bretagne étant devenue pour beaucoup un endroit où passer son week-end.

On constate également une renaissance dans tous les domaines de la culture populaire, notamment la musique et la danse, et l'on observe une augmentation du nombre des musées consacrés à la vie quotidienne régionale. De grandes manifestations annuelles, se tenant chaque été à Rennes, Quimper et Lorient, rassemblent des musiciens et des danseurs, venus non seulement de Bretagne, mais de tout le monde celtique. Ces manifestations comportent des spectacles de musique traditionnelle avec cornemuses et autres instruments, accompagnant des milliers de danseurs en costume folklorique, mais aussi toutes sortes d'événements comme des concerts de jazz et des représentations théâtrales. La langue bretonne n'est pas très bien portante, parlée par seulement un cinquième de la population, chiffre qui ne cesserait de décroître. Néanmoins, comme le gallois et d'autres langages minoritaires, elle reste vivante grâce à de jeunes passionnés, à l'Université et en dehors, à Brest, Lorient et dans d'autres centres du nationalisme breton ; la plupart des panneaux de signalisation indiquent les noms de lieux en breton et en français.

Après la Révolution, la Bretagne était constituée de cinq départements : Ille-et-Vilaine, Côtes-du-Nord, Finistère, Morbihan et Loire-Atlantique. Lors d'un remaniement du gouvernement local, dans les années 1960, la Bretagne fut amputée du département de Loire-Atlantique, et donc de son ancienne capitale, Nantes, qui avait été pendant des siècles la ville principale du duché. La Loire-Atlantique fait maintenant partie des Pays de Loire, ce qui peut répondre à une certaine logique, mais reste inacceptable pour les Bretons, qui ont le sens de l'Histoire. Le changement le plus récent, et il faut l'espérer, le dernier, est la modification du nom du département des Côtes-du-Nord en Côtes-d'Armor, écho du passé gaulois de la Bretagne.

Bien que Nantes, en particulier, mérite largement une visite, je n'ai inclus dans ce livre que les quatre départements formant officiellement la Bretagne actuelle. Mais Nantes et la Loire-Atlantique tout entière sont l'objet d'un très bon ouvrage de James Bentley, *La Loire*, dans la même collection.

Les six itinéraires qui constituent les chapitres de ce livre débutent par des villes qui, tout en présentant un grand intérêt historique, ne sont pas nécessairement les principales villes des régions étudiées. Ainsi les circuits qui comprennent les chefs-lieux de Saint-Brieuc et Rennes commencent respectivement par Guingamp et Vitré, à cause de leur intérêt historique, et j'ajouterai que j'y ai été fort bien accueilli. En ce qui concerne les autres centres, Saint-Malo fut pendant des siècles la principale porte de la Bretagne pour tous ceux qui arrivaient par la mer. Située au bord d'une rivière, Morlaix, d'un d'accès très facile, est doté d'une architecture fascinante, tandis que Quimper et Vannes ajoutent à leur prestige de chef-lieu le charme de leurs vieilles villes regorgeant de musées et de galeries d'art, tout en restant des centres de traditions bretonnes. Inévitablement, les circuits proposés comportent des lacunes, mais les richesses de la Bretagne sont à ce point inépuisables que tout éloignement du chemin tracé ne peut que vous conduire à faire vos propres découvertes, que ce soit celle de quelques mégalithes plantés au beau milieu d'un champ, d'une chapelle de pierres grises où brillent, dans la pénombre, des statues médiévales, d'une place de village abondamment fleurie, ou d'un restaurant sur le quai d'un port, avec vue sur les proches casiers à homards à proximité, ou encore de bateaux de pêche au mouillage, survolés par des mouettes aux cris aigus.

Autres lectures

Le Guide Vert Michelin, régulièrement remis à jour, est un outil précieux, contenant les cartes des principales grandes villes, ainsi que d'un certain nombre d'autres plus petites. Il comporte une brève introduction sur l'histoire, la culture et l'art bretons.

Un *Guide pratique*, réalisé chaque année à Rennes et destiné aux organisateurs de voyages, fournit également d'amples informations aux touristes. On peut se procurer ces deux ouvrages au Comité régional au tourisme de Rennes (174 B, rue de Paris, 35 000 Rennes).

Une série d'une douzaine de petits livres comportant des illustrations en couleur, publiés depuis plusieurs années par Jos Le Doaré ou *Ouest-France*, couvre tous les sujets possibles concernant la Bretagne, avec notamment des légendes de villes englouties par la mer, et l'histoire des prénoms bretons.

Vous pouvez trouver en librairie d'autres sources de référence.

Le *Nouveau Guide de Bretagne* publié par *Ouest-France*, est un index avec des illustrations en couleur et des centaines d'entrées sur les plus petits villages.

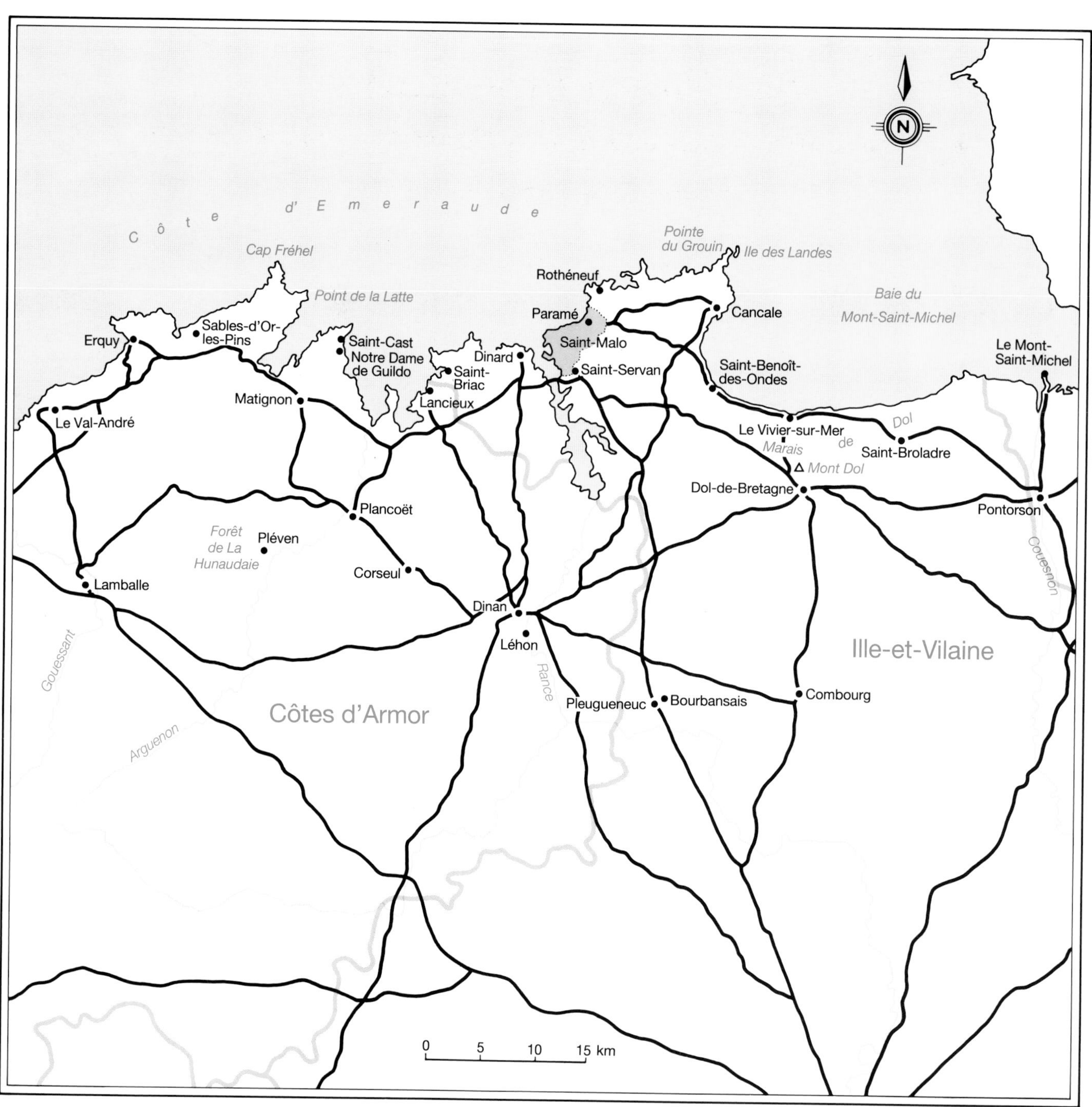

Côte d'Emeraude
Cap Fréhel
Point de la Latte
Pointe du Grouin
Ile des Landes
Baie du Mont-Saint-Michel
Rothéneuf
Paramé
Saint-Malo
Saint-Servan
Cancale
Erquy
Sables-d'Or-les-Pins
Saint-Cast
Notre Dame de Guildo
Dinard
Saint-Briac
Lancieux
Matignon
Le Val-André
Saint-Benoît-des-Ondes
Le Mont-Saint-Michel
Le Vivier-sur-Mer
Marais de Dol
Saint-Broladre
Mont Dol
Dol-de-Bretagne
Pontorson
Plancoët
Forêt de La Hunaudaie
Pléven
Corseul
Lamballe
Dinan
Léhon
Couesnon
Ille-et-Vilaine
Gouessant
Rance
Pleugueneuc
Bourbansais
Combourg
Côtes d'Armor
Arguenon
0 5 10 15 km

1
La Côte d'Émeraude

Saint-Malo — Dol-de-Bretagne — Combourg — Dinan

Lamballe — Cap Fréhel — Dinard

Durant des siècles, la ville grise de Saint-Malo, port blotti à l'embouchure de la Rance, fut le premier aperçu qu'avait de la Bretagne un voyageur. Même de nos jours où l'accès par la route est si facile, la seule manière convenable d'aborder Saint-Malo, c'est par la mer, tôt le matin de préférence : à mesure que le ferry dépasse lentement une frange protectrice d'îlots, les remparts massifs de la ville couronnés par la flèche élancée de la cathédrale se dessinent progressivement à travers le brouillard. Le bateau vire et recule doucement dans le port, et vous avez devant vous toute la Bretagne.

L'histoire de Saint-Malo commence, non pas sur le site actuel, mais sur la minuscule presqu'île d'Aleth qui forme le bras sud du port. Sous l'empire romain, Aleth devint la préfecture du territoire des Coriosolites, tribu gauloise. Au VIe siècle, un moine missionnaire gallois, saint Malo, appelé aussi Maclou ou Maclaw, débarqua à Aleth pour christianiser la région et y établit un évêché. Aux siècles suivants, les constantes incursions des Normands obligèrent les habitants à quitter Aleth et à se réfugier sur une île déserte, plus facile à défendre — l'actuel Saint-Malo, qui ne fut rattaché au continent qu'au XVIIIe siècle par une solide chaussée de sable nommée le Sillon.

Lors des guerres incessantes contre les Anglais qui ravagèrent la Bretagne durant tout le Moyen Age et après, le site de Saint-Malo s'avéra d'une grande importance stratégique car il gardait l'accès, par la Rance, au cœur de la Bretagne. Les Malouins — ainsi se nomment les habitants de Saint Malo — prirent rang parmi les plus habiles marins de France, donnant le jour à des générations de corsaires qui, pendant plus de deux siècles, harcelèrent les flottes marchandes du monde entier. Au XVIIe siècle, Saint-Malo était le premier port de France, faisant du commerce avec toute la terre. Et si, après 1700, il perdit de sa suprématie, il n'en reste pas moins un port important avec ses entrepôts et ses dépôts de bois bordant les quais du bassin intérieur.

L'étonnant à Saint-Malo, c'est que, malgré l'air d'ancienneté que lui donne le granit, elle a été presque entièrement détruite par le bombardement américain d'août 1944, et reconstruite après la guerre. Heureusement, le splendide rempart, avec ses larges chemins de ronde et ses portes fortifiées a survécu pratiquement intact. Il faut environ une demi-heure pour en faire le circuit complet, sans autre visite, et c'est de loin le meilleur moyen d'avoir une première impression de la ville.

Prenez, du côté du port, la porte Saint-Vincent ou la Grande Porte, et faites le tour des remparts dans le sens

des aiguilles d'une montre. Le chemin de ronde est au niveau des fenêtres supérieures de hautes maisons grises aux toits en forte pente. Celles-ci furent construites pour les armateurs qui s'enrichissaient en gréant des navires pour les corsaires de Saint-Malo et recevaient d'eux leur part de butin. Du côté de la mer, la vue change continuellement : c'est le bouquet de mâts de la marina, les maisons de Dinard, de l'autre côté de l'estuaire, le bastion du cap Fréhel au loin vers l'ouest, les petites îles du large et les récifs déchiquetés qui rendent si périlleuse l'entrée des bateaux dans Saint-Malo.

Espacées autour des remparts se dressent les statues de trois des plus célèbres marins de Saint-Malo, les corsaires Duguay-Trouin et Surcouf, et l'explorateur Jacques Cartier. Si l'on en juge à son effigie emperruquée, Duguay-Trouin avait plutôt l'allure d'un dandy, mais sa carrière fut tout sauf celle d'un dandy. Né en 1673, il fut commandant de son premier vaisseau à l'âge de 18 ans et, à 36 ans, il avait à son actif la capture de trois cents navires marchands, surtout anglais et hollandais, et de trente vaisseaux de guerre. Le sommet de sa carrière se situe en 1711, quand il enleva Rio de Janeiro aux Portugais et libéra un corps expéditionnaire français qu'ils tenaient prisonnier. Après cet exploit, il ne reprit guère la mer. Il mourut en 1736 et fut enterré dans la cathédrale de Saint-Malo, laissant la réputation d'un excellent capitaine et d'un ennemi chevaleresque.

Les corsaires de Saint-Malo n'étaient pas des pirates dans l'acception courante du terme : c'étaient, au contraire, des agents habilités de la Couronne de France, pourvus d'une licence officielle. Commerçants, armateurs et capitaines qui désiraient équiper des navires pour « faire la course » (c'est l'origine du mot corsaire) devaient obtenir une ordonnance du ministère de la Marine, puis des lettres de marque, signées du roi (Louis XIV, dans le cas de Duguay-Trouin), qui permettaient à des citoyens d'armer un vaisseau pour attaquer les bâtiments ennemis. Une fois sur mer, le corsaire avait à suivre des règles bien précises : il n'avait pas le droit de piller ou de couler le navire capturé, il devait sceller ses écoutilles et le ramener au port, en prenant à son propre bord le capitaine et l'équipage ennemis (pas question de leur faire subir le supplice de la planche).

Hautes maisons de granit, construites à l'origine par des riches propriétaires de navires du XVIIIe siècle. Elles se dessinent au-dessus des massifs remparts de Saint-Malo.

De retour au port, on vendait le vaisseau et sa cargaison, un dixième de la somme allait à la Couronne, les deux tiers du reste à l'armateur, et le dernier tiers était divisé entre l'équipage, les officiers et le capitaine, celui-ci recevant naturellement la plus grosse part.

De l'autre côté des remparts, un autre grand corsaire malouin, fait des gestes menaçants dans la direction de l'Angleterre. Robert Surcouf se couvrit de gloire pendant les guerres napoléoniennes. Il n'avait que 20 ans quand il obtint son premier commandement Quelque quinze ans plus tard, il abandonna le service actif sur mer. Il connut son plus grand triomphe en 1800 lorsque son vaisseau corsaire, le brillant *Confiance*, captura dans la baie du Bengale le *Kent*, un gros navire qui faisait le service de l'Inde orientale. Conformément aux règles de la course, Surcouf ramena sa prise à Port-Louis, dans l'île Maurice, qui appartenait alors à la France. Les autorités réclamèrent leur part de la poudre d'or que transportait le *Kent* dans des barils. Alors, Surcouf, qui avait espéré récompenser ses marins avec le butin, furieux, fit jeter les barils à la mer en disant aux officiels d'aller eux-mêmes chercher l'or au fond de l'eau. Après sa retraite, il s'enrichit comme armateur dans le commerce des esclaves. Il mourut en 1827 et fut enterré avec les honneurs militaires dans le cimetière de Saint-Malo.

Et voici un épilogue à l'histoire de Surcouf : il y a quelques années, j'ai retrouvé dans le petit musée de Mahébourg, dans l'île Maurice, des souvenirs de ses exploits — un portrait de lui, son pistolet et un coffre de vestiges du *Kent* comprenant la longue-vue et l'épée du capitaine de ce navire. Le nom de Mahébourg, comme son musée, a des liens avec Saint-Malo : il vient de Bertrand Mahé de la Bourdonnais, né à Saint-Malo, en 1699, et gouverneur de l'île Maurice au milieu du XVIIIe siècle.

A la moitié du circuit des remparts, à égale distance des deux corsaires, une statue fruste a été élevée à la mémoire d'un loup de mer malouin plus pacifique. Jacques Cartier, entre 1534 et 1541, fit trois traversées épiques de l'Atlantique, dans l'espoir de trouver la route occidentale des fabuleuses richesses de l'Inde et de Cathay.

Comme Colomb avant lui, il échoua, mais au cours de ces voyages, il découvrit le Canada et remonta le Saint-Laurent jusqu'au site actuel de Montréal. Il se retira à Rothéneuf, tout à côté de Saint-Malo, où il mourut, couvert de dettes, en 1557.

De n'importe quel endroit du chemin de ronde, vous pouvez descendre dans la petite ville « plus petite que les jardins des Tuileries » pour employer les termes de l'écrivain François-René de Chateaubriand, né à Saint-Malo en 1768. Le lieu de sa naissance est maintenant occupé par l'Hôtel de France et Chateaubriand, qui fait face au château de l'autre côté de la place Chateaubriand ; c'est une maison pleine de coins et recoins avec une jolie cour centrale, le type même des demeures construites par les riches armateurs. Il existe d'autres commémorations de Chateaubriand à Saint-Malo : une statue vis-à-vis du Casino, et sa tombe sur l'île du Grand-Bé, accessible à pied à marée basse. Il avait choisi son dernier lieu de repos avant sa mort, en 1848. Un an auparavant, le romancier Gustave Flaubert, qui subit fortement l'influence de Chateaubriand, visita le site, et écrivit avec une exaltation romantique : « Il dormira..., la tête tournée vers la mer ; dans ce sépulcre bâti sur un écueil, son immortalité sera, comme fut sa vie, désertée des autres et tout entourée d'orages. » Son tombeau ne porte aucun nom, seulement cette inscription : « Un grand écrivain français. »

Le château massif du XVe siècle se dresse à l'angle nord-est de la ville, contigu, mais extérieur aux remparts. Il fut construit par les ducs de Bretagne essentiellement pour maintenir sous leur autorité les Malouins, fortes têtes à l'esprit indépendant, plutôt que pour les protéger d'une attaque extérieure. Une vieille devise résume l'orgueil qu'ils tirent de leur lieu de naissance : « Malouin d'abord, breton peut-être, français s'il en reste. »

L'une des tours, le Grand Donjon, est maintenant occupée par un musée où est évoquée l'histoire de la ville depuis le Moyen Age jusqu'à la Deuxième Guerre mondiale et à nos jours. Une autre tour, la Quic-en-Groigne abrite un musée de cire présentant des reconstitutions hautes en couleur des exploits des corsaires. Elle doit son étrange nom à la réplique de la Duchesse Anne, qui la construisit vers 1500. Comme les Malouins se plaignaient de cette démonstration de force, elle répondit : « Qui qu'en groigne, ainsi sera ; tel est mon bon plaisir. » Pour que les Malouins ne se méprennent pas sur la portée de ses paroles, elle les fit graver sur le mur extérieur de la tour.

Le nom de la Venelle des Chiens, située non loin du château rappelle les chiens de garde qui, du coucher au lever du soleil, faisaient autrefois des rondes hors des murailles. Ces « chiens de guet », étaient des dogues anglais qu'un voyageur, au XVIe siècle, a décrits comme « les chiens les plus sauvages et les plus enragés qu'on puisse voir ». On les retira en 1770 après qu'ils eurent mordu jusqu'à la mort un jeune officier de marine qui revenait, tard dans la nuit, d'une visite à sa fiancée, à Saint-Servan. Ils sont toujours vivants, mais seulement sous la forme d'un emblème. Si vous levez les yeux vers le drapeau de Saint-Malo flottant sur la tour du château, vous pourrez voir dans son angle la figure d'un dogue.

Le principal édifice de Saint-Malo intra-muros (la partie de la ville à l'intérieur des remparts) est la cathédrale Saint-Vincent, qui a gardé ce nom, quoiqu'il n'y ait plus d'évêque. La nef voûtée date du XIIe siècle ; le chœur, bien éclairé par de hautes fenêtres et soutenu par de minces colonnes, fut construit un siècle plus tard. A l'extérieur, un fragment de cloître attenant à la cathédrale constitue l'un des plus jolis coins de Saint-Malo.

Sur son côté est, la ville se fond dans sa banlieue, la station balnéaire de Paramé qui cède la place au bourg plus tranquille, plus familial de Rothéneuf. Il vaut la peine de s'y arrêter pour jeter un regard sur les extraordinaires Rochers sculptés, véritable îlot fantasmagorique taillé dans un promontoire de granit.

C'est l'abbé Fourier, « l'ermite de Rothéneuf », qui, pendant vingt-cinq ans, à la fin du siècle dernier, exécuta cette galerie de portraits de la famille des corsaires de Rothéneuf, assortis de figures de saints, de diables, de navigateurs, de paysans et de monstres marins. Les visages

L'îlot du Petit Bé, avec son fort du XVIIe siècle, fait partie de la chaîne d'îles rocheuses qui gardent les accès du port de Saint-Malo.

Fonts baptismaux du Moyen Age décorés de figures humaines grossièrement sculptées dans la cathédrale de Saint-Malo.

s'estompent d'année en année, sous l'action du vent et des vagues et, plus encore, à cause des piétinements des milliers de visiteurs estivaux qui se promènent sur les créations de l'abbé.

Au-delà de Rothéneuf, une route de campagne, la D 201, passe devant de grandes fermes en granit qui, pour autant qu'on le sache, ont commencé par être, au XVIIe ou au XVIIIe siècle des malouinières — maisons de campagne construites par des armateurs ou par des corsaires. La route aboutit à la pointe du Groin, promontoire limitant, à l'ouest, la baie du Mont-Saint-Michel. De l'autre côté d'un étroit bras de mer, s'allonge l'arête de l'île des Landes, qui constitue une réserve botanique et ornithologique résonnant des chamailleries des mouettes et des cormorans.

Au sud de Groin, Cancale, pour les amateurs d'huîtres, est la Mecque de la côte nord de la Bretagne. C'est une ville double. De son église moderne et des supermarchés juchés sur sa partie haute, une colline abrupte descend au port et à l'appontement qui surplombe la laisse boueuse. La ville basse est faite essentiellement de restaurants, cafés et bars où vous pouvez déguster votre content d'huîtres ; ou bien vous pouvez en goûter quelques-unes pour infiniment moins cher aux étals en plein air, tenus pour la plupart par des vieilles dames au visage basané.

Depuis des siècles, on élève des huîtres dans la riche vase de la baie. Au XVIIe siècle, elles avaient une telle réputation que Louis XIV s'en faisait envoyer par charretées de Cancale à Versailles. Un siècle plus tard, Casanova en avalait 50 par soirée, afin de se maintenir en forme pour ses activités nocturnes. C'était de grosses huîtres appelées pieds de cheval en raison de leur forme en sabot de cheval. De qualité voisine, les plates, appelées aussi belons, du nom de l'estuaire du Belon, rivière du Finistère, où l'on élève des huîtres fines. Au bas de l'échelle, on trouve les creuses, originaires du Japon pour la plupart.

A quelques kilomètres au large, sont installés les parcs où les huîtres viennent à maturité dans les « poches », sacs en mailles plastiques attachés par rangées à des structures de métal fixées au fond de l'eau. Quand elles sont devenues assez grosses pour être comestibles, elles sont rassemblées dans des bachots, bateaux à fond plat, qui les ramènent à Cancale, puis transférées dans les réservoirs de pierre bordant la laisse, où elles se nettoient intérieurement, se débarrassant de leurs impuretés dans une eau sans vase. C'est seulement après ces nettoyages qu'elles sont considérées comme propres à la consommation. Normalement, on mange les huîtres quand elles ont trois ou quatre ans. La saison d'élevage se situe dans la période chaude, de mai à août, ce qui probablement justifie la croyance qu'on ne doit pas manger d'huîtres pendant les mois dont le nom contient un r.

Il y a quelques années, j'ai passé une journée épuisante dans les parcs avec un ostréiculteur et son personnel. Le travail, fait à marée basse, consistait principalement à

Rochers en forme de doigts, à la pointe du Groin, promontoire marquant la limite ouest du Mont-Saint-Michel.

tourner les poches pour s'assurer que les huîtres étaient étalées régulièrement et à éliminer les crabes verts qui s'en repaissent. Cela n'a pas l'air d'une lourde tâche ; mais ce qui la rendait éreintante, c'était le nombre de poches et la nature visqueuse de la vase laissée par la marée, qui faisait de chaque pas une lutte pour ne pas s'enfoncer jusqu'à la cheville.

Cancale est un port de pêche aussi bien qu'un centre d'ostréiculture. Il y a moins d'un demi-siècle, ses pêcheurs prenaient encore la mer dans le traditionnel bateau de pêche breton, la bisquine trapue, longue de 17 m, avec sa grand-voile carrée, son haut beaupré spinnaker. Pendant l'été, vous pouvez faire une excursion à partir de Cancale, dans une bisquine moderne, construite récemment, mais selon les caractéristiques anciennes. L'histoire de la pêche et de l'ostréiculture cancalaises revit dans le musée des Arts et Traditions populaires, logé dans une église désaffectée.

Au sud et à l'est de Cancale, la route contourne la baie du Mont-Saint-Michel, en traversant Saint-Benoît-des-Ondes et Le Vivier-sur-Mer. Vivier signifiant réserve à poisson, ce n'est pas une coïncidence si Le Vivier est l'un des plus importants centres de mytiliculture de France. La ville est fière à bon droit de son car-amphibie, la *Sirène de la Baie*, qui emmène pour un tour de deux heures sur terre et sur mer, autour de la baie, 150 passagers qui dévorent des huîtres et des moules tout en admirant le Mont-Saint-Michel qui dresse au loin dans la brume un décor de Livre d'Heures médiéval. Bien que le Mont-Saint-Michel soit géographiquement situé en Normandie, et donc hors du cadre de ce livre, aucun visiteur de cette partie de la Bretagne ne doit négliger de s'y rendre, car c'est une des merveilles architecturales de l'Europe.

Çà et là sur cette route, vous rencontrerez des moulins à vent abandonnés qui devaient donner un aspect hollandais à la côte, à l'époque où leurs ailes tournaient encore. Le terrain gagné sur la mer vers le Mont-Saint-Michel est appelé Polder, nom certainement donné par les ingénieurs venus de Hollande pour le drainage.

Jusqu'au XVIIIe siècle, le grand arc de cercle de la baie était de la terre ferme, couverte par la forêt de Scissy (le Sessiacum romain) avec çà et là des villages dans les clairières. Mais en 709 environ, un immense raz de marée venu de l'Atlantique la balaya, engloutissant la forêt, noyant les villages et laissant le souvenir populaire des cloches d'une église sonnant le glas là où les bateaux naviguent aujourd'hui vers les bancs d'huîtres. Bien que les villages soient maintenant sous l'eau depuis presque treize cents ans, on a conservé le souvenir des noms de plusieurs d'entre eux : Tommen, Porspican, La Feuilleste, Saint-Louis et une demi-douzaine d'autres.

Au Vivier, la route quitte la côte pour aller vers Dol-de-Bretagne, à 8 km au sud. Dominant les marais salants asséchés du marais de Dol, aujourd'hui l'une des plus riches terres agricoles de Bretagne, se dresse l'affleurement granitique du Mont-Dol, au sommet aplati. Il a, dans ce paysage sans caractère, une importance panoramique hors de proportion avec sa hauteur, qui est seulement de 65 m. *Dol*, en breton, signifie table et Mont-Dol veut simplement dire montagne de la Table. C'était un lieu sacré au temps des Celtes, avant le christianisme, auquel les premiers chrétiens conservèrent son caractère de sainteté en y établissant des ermitages. Comme beaucoup de ces hauts lieux où le christianisme entra en conflit avec les croyances primitives, il fut revendiqué comme champ de bataille entre saint Michel, qui laissa l'empreinte de son pied au sommet du rocher, et le Diable, qui y laissa la marque de sa griffe. Le sommet aplati de la colline est couronné d'une haute tour érigée en 1837, qui servit de piédestal à une statue de la Vierge. En 1989, une tempête la jeta à bas et la fracassa, mais on a l'espoir qu'elle finira par être remplacée. On trouve, tout près de la tour, une minuscule chapelle, et, à un autre point du sommet, les restes de deux moulins à vent et les fondations d'un prétendu « temple de Mithras ». A la fin du XVIIIe siècle, le Mont-Dol fut une des cinquante-cinq stations télégraphiques qui reliaient Paris à Brest, siège de l'état-major maritime de Napoléon. Les messages étaient transmis par un système de sémaphores faits de bras de bois montés sur pivot. Inopérant la nuit et par temps de

Plaines agricoles s'étendant vers le nord, de Mont-Dol à la baie du Mont-Saint-Michel. Gagnées sur la mer, il y a des siècles par des ingénieurs hollandais, ces terres sont appelées le Polder.

Grotesque statue de bois ornant la façade médiévale d'une boutique de la Grande-Rue-des-Stuarts, à Dol-de-Bretagne.

brouillard, ce moyen de transmission resta cependant en fonctionnement jusque dans les années 1840, époque où il fut supplanté par le télégraphe électrique.

Dol est l'une des plus jolies villes de la Bretagne du Nord. Son artère principale, la Grande-Rue-des-Stuarts, est essentiellement bordée de maisons médiévales en granit reposant sur des piliers de pierre trapus et couronnés de pignons aux angles extravagants. Elle tire certainement son nom du roi Jacques II Stuart qui s'enfuit en France après la « Révolution glorieuse » de 1688. En été, la pierre grise est égayée par des paniers à fleurs et des jardinières suspendues aux fenêtres, ainsi que par des banderoles colorées tendues d'un côté à l'autre de la rue.

Jusqu'à la Révolution, Dol fut le siège d'un évêché. La cathédrale, un peu dissimulée sur une place derrière la Grande-Rue est l'exemple même de l'édifice noblement austère. Dédié à saint Samson, et construite en grande partie au XIIIe siècle, elle présente une façade bizarrement asymétrique, avec ses deux tours dont l'une, commencée au XVIe siècle et restée inachevée, semble avoir été décapitée par une main de géant. L'autre tour, plus vieille d'un siècle est, dit-on, reliée au Mont-Dol par un souterrain. Le côté sud s'ouvre par un très grand porche gothique datant des XIVe et XVe siècles. La magnifique nef s'élance vers une voûte à vingt mètres au-dessus du sol. Les quatre-vingts superbes stalles du chœur du XVe siècle, sont sculptées de feuillages et de têtes humaines. Les ouvertures ont encore leurs vitraux du Moyen Age illustrant des épisodes de la vie de saint Samson de Dol.

La Bretagne ne revendique pas moins de 7847 saints. Ce nombre, d'apparence étrange, est en réalité le total des sept milliers, sept centaines, sept vingtaines et sept unités, Samson, l'un des sept fondateurs de la Bretagne, se situe au sommet de la Société de la sainteté, avec les saints Malo, Brieuc, Tugdual, Paul-Aurélian (généralement abrégé en Pol), Corentin et Patern.

Nous en savons plus sur Samson que sur n'importe lequel d'entre eux, grâce à une biographie anonyme écrite, croit-on, au début du XVIIe siècle. Il est probablement né vers 490, au nord du Pays de Galles, et fut instruit au monastère de Llantwit, dans le comté de Glamorgan, l'un des plus importants centres d'éducation, au Pays de Galles. Après avoir été missionnaire en Irlande, il eut, à l'âge de 30 ans environ, une vision qui lui commanda de prêcher l'Evangile au-delà des mers, et il traversa le canal de Bristol pour se rendre en Cornouailles. Là, il fit de son mieux pour convertir les Celtes au christianisme, en prêchant, en accomplissant des miracles et en gravant des croix sur les menhirs qu'ils adoraient. De Cornouailles, il passa de l'autre côté de la Manche, en Bretagne où, selon un récit, il débarqua au Vivier en 548.

En arrivant à Dol, il fonda un monastère et, selon son biographe, il « sema les graines de beaucoup d'œuvres de nature merveilleuse et fonda un grand nombre de monastères dans la quasi-totalité de la province ». En tant qu'évêque de Dol, il se brouilla avec Childebert Ier, roi des

Jonction de la tour basse et du côté sud de la cathédrale Saint-Samson, construite en grande partie au XIIIe siècle.

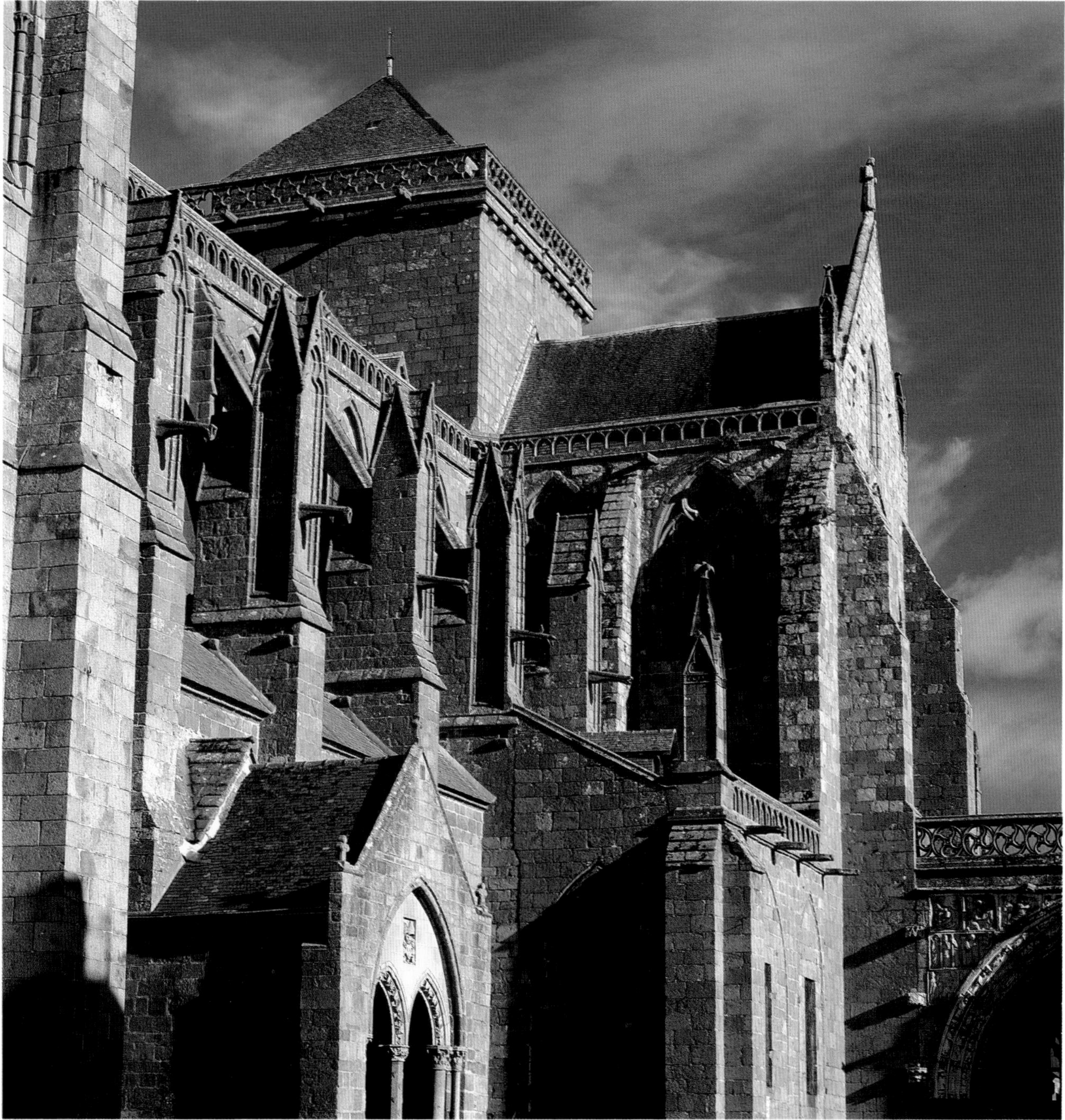

Francs, ou du moins avec la reine Ultrogoth, qui essaya de se débarrasser de lui en l'empoisonnant, en le faisant désarçonner par un cheval sauvage puis en lançant un lion contre lui... Aucune de ces tentatives ne réussit : la coupe de poison se brisa dans la main de celui qui la portait, Samson dompta le cheval en faisant le signe de la croix et il tua le lion à coups de javelot, en invoquant le Christ. C'en était trop pour Ultrogoth qui eut une attaque d'apoplexie et mourut sur-le-champ, laissant ainsi Samson accomplir sa tâche sans obstacle. Il mourut aux environs de 570, date aussi incertaine que celle de sa naissance.

Samson et les autres évêques missionnaires de la première église en pays celtique étaient de rudes hommes d'action, très différents des pacifiques ecclésiastiques qui portent aujourd'hui la mitre épiscopale. Ils circulaient en armes dans une société violente ; leurs monastères étaient des forteresses autant que des refuges contre les tentations du monde, et physiquement, ils ressemblaient plus à des guerriers mohicans qu'aux moines à la tonsure ronde des siècles plus récents. Leur tonsure, dite tonsure de Jean, allait d'une oreille à l'autre et laissait les cheveux longs par-derrière. Sans aucun doute, les simples paysans païens de Cornouaille et de Bretagne trouvaient plus facile de se laisser conduire par de tels hommes que de leur résister.

Pour voir un superbe exemple des « idoles » sur lesquelles Samson et ses semblables gravaient leurs croix, faites un kilomètre sur la D 795 en direction de Combourg. En bas d'un sentier sur la gauche, vous trouvez le menhir du Champ dolent qui mesure plus de 9 m de haut. C'est l'un des plus impressionnants de Bretagne. (Du point de vue de la terminologie, un menhir est un monolithe vertical dont le nom vient du breton, *men*, pierre, et *hir*, haut ; tandis qu'un dolmen, littéralement pierre-table, est fait de deux blocs verticaux et d'un horizontal reposant sur eux). Selon la légende, il s'enfonce en terre de deux centimètres par siècle, et quand il disparaîtra, ce sera la fin du monde. Cela donne à la Terre à peu près un demi-million d'années à tourner encore...

Le nom de Champ Dolent a probablement pour origine le latin *campus dolensis*, champ de Dol, mais on lui donne un sens plus fantaisiste de : champ de la douleur, rapportant *dolensis* au latin *dolere*, souffrir. On raconte que deux frères et leurs armées se livrèrent en ce lieu un farouche combat, si terrible que les morts et les blessés répandirent assez de sang pour faire tourner un moulin à eau. Quand la bataille atteignit son paroxysme, le mégalithe tomba du ciel et se planta dans le sol entre les forces opposées. Après ce signe de la désapprobation divine, les deux frères eurent le bon sens de mettre fin au combat.

Quittez le menhir, continuez sur la D 795 jusqu'à Combourg. A l'extrême limite de ce bourg médiéval recroquevillé sur lui-même, se dresse le château à tours enseveli sous les arbres d'un parc magnifique et dominant un grand lac ; c'est la demeure où Chateaubriand passa son enfance avant la Révolution. Le château d'origine fut construit par l'évêque de Dol, au XIe siècle, mais la construction actuelle avec le cachet romantique de ses tourelles et de ses murs massifs est essentiellement du XVe siècle.

Chateaubriand a raconté sa jeunesse à Combourg dans sa remarquable autobiographie des *Mémoires d'outre-tombe*, écrits à plusieurs époques de sa vie et terminés seulement en 1846, deux ans avant sa mort. Avec son père, le vicomte, un vieil homme terrifiant, sa mère et sa sœur aînée, Lucile, qu'il adorait, il vivait dans une atmosphère d'intense solitude. Sa chambre était située dans une tourelle isolée nommée la tour du Chat à cause d'un squelette de chat, trouvé sous l'escalier, qu'on montrait aux visiteurs. Dans ses Mémoires, Chateaubriand rappelle la légende du fantôme d'un ancien comte de Combourg à jambe de bois qu'on rencontrait parfois dans l'escalier avec un chat noir sur les talons.

Si la pensée des fantômes, les hiboux, les rayons de lune et les étranges bruits venant des souterrains le terrifiaient dans la solitude de sa tour, « cette manière violente de me traiter me laissa le courage d'un homme, sans m'ôter cette sensibilité d'imagination dont on voudrait aujourd'hui priver la jeunesse ». Peut-être n'était-ce pas une mauvaise éducation pour l'un des chantres du romantisme, qui, dans

L'abbaye du Mont-Saint-Michel est un élément permanent du paysage que vous apercevez de l'autre côté de la baie en suivant la route littorale de Cancale au Vivier. La Bretagne perdit l'abbaye au profit de la Normandie quand le Couesnon changea de cours.

des œuvres comme *Atala*, faisant l'éloge des vertus de la vie sauvage, fut une source d'inspiration pour Flaubert, Victor Hugo, et une foule d'écrivains de moindre importance.

De Combourg, prenez les routes de campagne menant, par La Chapelle-aux-Filzméens, au village de Pleugueneuc. A sa lisière s'élève le château de la Bourbansais qu'on atteint par une longue allée bordée de hêtres. Bâti dans une grande variété de styles, du XVIe au XVIIIe siècle, c'est le type du sévère château breton ; symétrique et solide, il est flanqué de deux pavillons séparés. L'intérieur est revêtu de beaux lambris du XVIIIe siècle et les jardins sont dessinés à la française. Au XVIIIe siècle, il appartenait aux Huard qui, pendant des générations, furent membres des Etats, le parlement semi-indépendant de Bretagne qui se réunissait périodiquement à Rennes et fut aboli par la Révolution. La Bourbansais possède un petit parc zoologique ainsi que sa propre meute de chiens.

Mettez ensuite le cap sur Dinan. Aux abords de la ville, vous apercevrez ses clochers et son alignement de toits, de l'autre côté de la profonde vallée de la Rance. Bien en-dessous, près de la rivière, se trouve le vieux port, un des plus pittoresques de Bretagne, qu'on entrevoit à droite quand on se place sur le haut viaduc menant à la ville haute. Après le château féodal, la route change de direction pour aboutir à la place principale où se dresse une statue de Bertrand Du Guesclin, l'air imposant à cheval au milieu des voitures en stationnement.

Dinan est la quintessence des villes médiévales de Bretagne, ses constructions anciennes à colombage et son atmosphère d'éternité séduisent les touristes depuis cent cinquante ans ou plus. Thomas Adolphus Trollope, frère aîné du romancier anglais, visita Dinan en 1839 et trouva là le paradis fiscal de l'époque, à un moment où les Anglais étaient les seigneurs de la finance en Europe. Dinan, écrivit-il, est « une de ces villes qui sont devenues des colonies anglaises. Elle est jolie et agréablement située, et la vie y est bon marché ».

Les tours du XVe siècle du château de Combourg se reflétant dans son lac ornemental. L'écrivain Chateaubriand passa son enfance dans ce château, qu'il prétendit hanté.

Colombages et galets dans la montée du Jerzual, qui contribuent à donner à Dinan sa réputation de « quintessence des villes médiévales de Bretagne ».

Le Dinan médiéval s'étire le long de la colline, de l'autre côté de la rivière, avec des rues bordées de maisons à pignons descendant en pente rapide jusqu'aux bords de la Rance. Deux cent mètres séparent la place Du Guesclin du Jardin anglais, le plus grand et le plus bel espace vert de la ville, qui rappelle la présence anglaise. Sur cette étendue gazonnée, les arbres (un cèdre à ample feuillage, un grand ginkgo, un imposant magnolia et autres belles espèces) sont plantés de manière informelle (dans le style anglais, pour les Français). La terrasse du jardin procure un merveilleux panorama sur le port, la rivière et les hauteurs de la rive opposée. Tout près d'une des allées du jardin, on peut voir le buste, plein de dignité, de l'explorateur Auguste Pavie, né à Dinan en 1847. Employé dans sa jeunesse par la Compagnie française des Télégraphes au Cambodge, il y passa cinq années à dresser une carte du pays et fut finalement nommé chef du Service

Bertrand Du Guesclin, commandant en chef de l'armée française au XIVᵉ siècle, renommé autant pour sa laideur que sa bravoure. Il naquit près de Dinan en 1320.

géographique de l'Indochine française. Il se retira dans un village d'Ille-et-Villaine où il mourut en 1925.

Dans les siècles antérieurs, c'est le cimetière de la principale église de Dinan, la basilique Saint-Sauveur, qui occupait l'emplacement de l'actuel jardin. La basilique, construction fondamentalement romane du XIIᵉ siècle, a été considérablement remaniée au XVᵉ et XVIᵉ siècles. Son clocher à trois étages lui a été ajouté au XVIIᵉ siècle. Les animaux ailés qui flanquent le portail roman occidental méritent une attention particulière. L'intérieur abrite quelques remarquables trésors : un bénitier du XIIᵉ siècle, un vitrail du XVᵉ représentant les quatre évangélistes, et, dans le bras nord du transept, une châsse qui renferme le cœur de Du Guesclin, recueilli après sa mort au combat en 1380.

Dans toute la Bretagne, vous trouverez des rues, des hôtels et des cafés portant le nom de Du Guesclin. Mais c'est avec Dinan qu'il a les liens les plus étroits puisqu'il est né tout près, au château de la Motte-Broons, en 1320. Dans son enfance, il était d'une laideur frappante. Un trouvère du nom de Cuvelier écrivait de lui : « Je pense qu'il n'y avait pas d'enfant plus laid de Rennes à Dinan. Il avait le nez plat, le teint noiraud, l'air renfrogné, le corps trapu. Son père et sa mère le détestaient au point de souvent désirer sa mort ou sa noyade. » Il n'est plus douteux que ce soient ses premières batailles contre l'agressivité des siens qui en aient fait un combattant.

Du Guesclin connut sa première notoriété à l'âge de 18 ans, à l'occasion d'un tournoi qui se tenait à Rennes. Avec son cheval et une armure d'emprunt, il réussit à désarçonner l'un après l'autre plusieurs chevaliers jusqu'au moment où son heaume, détaché par un choc, laissa voir à la foule son visage aux sourcils broussailleux. La Guerre de Cent Ans — ou du moins la phase qui concerna le duché de Bretagne, revendiqué à la fois par l'Angleterre et la France — correspondait particulièrement bien à ses capacités. Pendant une vingtaine d'années, il batailla par monts et par vaux dans tout le pays. Son plus fameux combat eut lieu à Dinan en 1350 quand il se mesura seul à seul dans un tournoi avec un chevalier anglais, Sir Thomas Canterbury. Après une lutte à la lance et à l'épée, Du Guesclin tua presque Canterbury en lui frappant la face de son gantelet.

La phase finale de sa carrière occupa une scène plus large, sur les champs de bataille d'Espagne et du sud de la France. Elevé au rang de connétable de France (commandant en chef) par Charles V, il mourut lors de la campagne de 1380 contre les Anglais, tandis qu'il assiégeait une ville du Massif central. Conformément à la macabre coutume du Moyen Age, son corps fut dispersé à travers la France : on inhuma ses entrailles dans la ville du Puy ; à Clermont-Ferrand, on fit bouillir ses chairs après les avoir détachées de son squelette que l'on ensevelit à

L'étroit pont médiéval qui enjambe la Rance, sur le petit port de Dinan, au pied de la ville. Un nouveau pont, enjambant la vallée, absorbe l'intensité du trafic moderne.

Saint-Denis, nécropole des rois de France et l'on plaça son cœur dans une cassette d'or pour le ramener à Dinan.

Presque tous les édifices du vieux Dinan méritent l'attention. On peut les examiner tout à son aise, puisque la plus grande partie du centre est piétonnière. Du Jardin anglais, vous pouvez emprunter les ruelles descendant en zigzag jusqu'à la Rance et flâner le long de la rivière jusqu'au vieux port et au pont médiéval. Prenez ensuite l'ancienne rue du Petit-Fort, bordée de maisons à pignon et à colombage, passez la porte fortifiée du Jerzual, et remontez la rue du même nom jusqu'à la place des Cordeliers, au cœur de la vieille ville.

Juste à l'ouest de la place des Cordeliers, dans la Grand-Rue, se trouve la seconde église ancienne de Dinan. Dédiée à saint Malo, de style gothique flamboyant, elle fut commencée au XVe siècle mais ne fut pas terminée avant 1865. Le porche d'entrée, à double arcature Renaissance, qui date du début du XVIIe siècle, est élégamment sculpté, avec ses fins pilastres et ses coquilles Saint-Jacques. L'intérieur, malgré son aspect négligé, ne manque pas de beauté avec ses grands arcs gothiques et son chevet élancé à l'est. Les vitraux, d'une réalisation originale, datant pour la plupart des années 1930, présentent des épisodes historiques du passé de Dinan, et notamment des scènes pleines de vie où figurent Du Guesclin, la duchesse Anne et d'autres notables. Une grande toile montre le principal événement religieux de l'histoire de l'église : le transfert, en 1670, des reliques de saint Malo, de la ville de Saint-Malo à Dinan.

La rue de l'Horloge constitue l'épine dorsale du vieux Dinan. Elle tire son nom du beffroi du XVe siècle, offrant de son sommet une vue sensationnelle qui vaut bien les 60 m de montée y menant. L'Office du tourisme, tout proche, occupe une imposante demeure du XVIe siècle, l'hôtel Kératry. Juste en face se trouve une maison à pignon dont l'avancée repose sur deux piliers trapus de granit. Elle doit son nom de « maison du Gisant » à la présence, sur le trottoir au-dessous de l'arcade, d'un gisant ébauché revêtu d'une armure. Au XVe siècle, la maison était un atelier de sculpteurs de gisants qui fabriquait en série de tels ornements de tombe pour les églises environnantes, préparant des corps standard puis, leur ajoutant têtes et armoiries appropriées. Ce discret relief pourrait sembler déplacé dans beaucoup d'autres villes, mais il a l'air parfaitement à sa place, au centre de Dinan, où le Moyen Age paraît une réalité toujours vivante. De l'autre côté de la place Du Guesclin, à l'angle sud-ouest des remparts, s'élève le château médiéval, dit château de la duchesse Anne, du nom de la dernière duchesse de la Bretagne indépendante. Le donjon du XIVe siècle abrite un petit musée d'histoire locale.

Comme on peut s'y attendre, dans une ville pleine d'anciens bâtiments, Dinan regorge de boutiques d'antiquités. Si vous êtes à l'affût d'une occasion, évitez les rues attrape-touristes comme la montée du Jerzual et la rue du Petit Fort, et mettez-vous en chasse dans les ruelles de la vieille ville, ou bien franchissez l'enceinte médiévale pour aller jeter un coup d'œil dans les rues commerçantes des quartiers plus récents.

A un kilomètre au sud de Dinan, une petite route écartée conduit à l'abbaye de Léhon, près de la Rance ; on peut également prendre le sentier au bord de la rivière. L'abbaye fut fondée au IXe siècle par six moines qui dérobèrent les reliques de saint Magloire, l'évêque de Dol, dans l'île de Sark, pour les transférer dans leur nouveau monastère. L'église actuelle, du XIIIe siècle, contient ce qui passe pour être le plus vieux vitrail de Bretagne.

De Dinan, suivez, à l'ouest, la route de Lamballe (N 176), puis tournez pour prendre la D 794, au nord-ouest, dans la direction de Plancoët (D 794). Un peu avant le village de Corseul, une tour en ruine, dont l'aspect peut évoquer toute une époque, du Moyen Age au XIXe siècle, se dresse au milieu des champs. En fait, ces restes délabrés appelés temple de Mars représentent les vestiges gallo-romains les plus importants de Bretagne. Ils datent probablement du Ier siècle av. J.-C, quand la Bretagne était une province de la Gaule armoricaine aux marges occidentales de l'Empire romain. L'appareil de ces vestiges consiste en un double revêtement de petites pierres de granit avec, entres elles, un remplissage de blocailles. Cela semble avoir fait partie de l'abside octogonale d'un édifice

De vigoureuses sculptures Renaissance donnent son caractère à la double arcature du porche sud de l'église Saint-Malo de Dinan, une belle construction de style gothique flamboyant.

beaucoup plus vaste. En dépit de son nom, il n'est pas certain du tout qu'il s'agisse d'un temple — encore que cette construction ait très bien pu être la *cella* d'un sanctuaire ou qu'il ait quelque chose à voir avec Mars.

Le nom de Corseul vient d'une tribu gauloise, les Coriosolites, conquise par Jules César en 56 av. J.-C. Ce village qui, aujourd'hui, ne mérite guère plus qu'un rapide coup d'œil, était, à l'époque romaine, un important centre régional avec un forum, des temples et des thermes. Il fut incendié vers 400 ap. J.-C. et, pendant des siècles, on pilla le site pour ses pierres. On en prit encore au XVIIIe siècle pour renforcer les remparts de Saint-Malo.

Un peu plus loin, la route atteint Plancoët, une petite ville accidentée sur l'Arguenon. C'est là que, vers la fin du XVIIIe siècle, Chateaubriand venait rendre visite à sa grand-mère, dont il décrit la maison et le jardin dans ses *Mémoires d'outre-tombe*. De nos jours, Plancoët assure une grande partie de la production d'eau minérale de la Bretagne. De Plancoët, continuez votre route vers l'ouest, jusqu'à Lamballe, par la petite D 28, qui flâne dans la campagne et traverse la forêt de la Hunaudaie. Une fois dépassé le village de Pléven, un petit crochet au sud vous amène aux ruines des remparts et des tourelles du château de la Hunaudaye construit, pour l'essentiel, aux XIVe et XVe siècles, et détruit à la Révolution. Des travaux de restauration sont actuellement en cours.

Bien que Lamballe soit, à l'intérieur des terres, à une dizaine de kilomètres seulement des stations balnéaires de la Côte d'Emeraude, elle reste une ville ouvrière beaucoup plus qu'un centre de vacances. Elle aurait été fondée au VIe siècle par saint Pol, le nom de Lamballe venant de *Lan Pol* (monastère de Pol). Au Moyen Age, Lamballe était la capitale du duché de Penthièvre, l'une des plus importantes seigneuries de Bretagne, qu'on se disputa souvent. Dans un passé beaucoup plus récent, Lamballe est devenu un centre de tannage et de travail du cuir.

La vieille ville s'étend sur les hauteurs qui dominent la vallée du Gouessant, avec, à ses extrémités, deux églises importantes, à l'ouest, Saint-Jean, du XVe siècle, et à l'est, la collégiale Notre-Dame-de-Grande-Puissance. Entre les deux, se trouve la place du Martray, tout en longueur, sur laquelle sont sises la plupart des vieilles maisons de Lamballe. L'une des plus belles constructions à colombage abrite, au rez-de-chaussée, l'Office du tourisme, et un musée consacré aux peintures et aux dessins de Mathurin (1882-1958) a été installé au dessus. Cet artiste, né à Lamballe, consacra la plus grande partie de sa longue carrière à décrire la vie, bientôt révolue, des fermiers et des marins de sa Bretagne natale, croquant au crayon ou au fusain des scènes quotidiennes : pêcheurs raccommodant leurs filets, femmes assises à table...

Lamballe est renommée, dans toute la moitié nord de la France, pour son Haras national, dont la fondation remonte à 1825. Les écuries qui abritent des rangées d'étalons dans des stalles individuelles sont construites autour d'une immense cour au sol recouvert de sable, la Cour d'honneur. Le haras élève surtout des chevaux de trait de Bretagne (les fameux traits bretons, d'une puissance et d'une docilité extrême) et des trotteurs.

Les princes de Lamballe, famille de la noblesse bretonne, ont emprunté à la ville leur titre héréditaire. Pendant la Révolution, la duchesse de Lamballe de l'époque, amie intime de Marie-Antoinette, fut massacrée en septembre 1792 et sa tête fut brandie sur une pique, devant la prison où la reine était détenue. Un an après, Marie-Antoinette périssait à son tour.

Dirigez-vous, en empruntant la D 791, vers le nord, jusqu'à la petite station balnéaire, la plus occidentale de toutes celles de la Côte d'Emeraude, Le Val-André. Ses vastes plages de sable en ont fait un centre attractif de vacances depuis bien plus d'un siècle. Aussi agréable que l'une ou l'autre d'entre elles est la plage de front de mer du Val-André, et son petit port de Dahouët, qui envoya autrefois une flottille de pêche à la morue jusque dans les eaux d'Islande, constitue un mouillage sûr pour les petits bateaux de plaisance.

Du Val-André, à l'est, la D 786, parallèle à la côte, mène à Erquy. A mi-chemin entre les deux bourgs, se trouve l'un des châteaux les plus agréables que je connaisse, le château de Bienassis dont le nom (signifiant bien situé) est plus que justifié. Sis au bas de longues

Chapiteaux romans de granit, ornés de têtes, dans l'église Notre-Dame-de-Grande-Puissance à Lamballe.

allées bordées d'arbres, c'est un élégant petit manoir du XVe siècle, avec des douves et des tourelles à toit pointu, entouré de jardins à la française où, pendant les chaudes après-midi d'été, bourdonnent les abeilles. Il a été en grande partie ravagé par le feu lors des Guerres de religion du XVIe siècle et fut le théâtre d'autres violences, il n'y a pas si longtemps, quand au cours de Seconde Guerre mondiale les Allemands fusillèrent six habitants du lieu, là où fleurit maintenant la roseraie.

Le petit port de pêche d'Erquy est l'endroit idéal pour passer un moment assis à une terrasse de café sur le quai, à contempler le balancement paresseux des bateaux dans le port. Sa flottille de pêche vit de la capture des coquilles Saint-Jacques. Le port est protégé au nord par un magnifique promontoire, le cap d'Erquy qui se dresse à pic, à 68 m au-dessus de la mer. Son sommet a été fortifié à l'âge de fer par une tribu locale, encore que les fossés de défense soient souvent attribués à César. En principe, chaque chemin, autour d'Erquy, conduit à une jolie plage.

A l'est d'Erquy, la D 34 conduit au cap Fréhel en passant par Sables-d'Or-les-Pins. Sables-d'Or est une station familiale sans formes nettes, semblant s'étendre indéfiniment, dépourvue de centre propre et presque entièrement constituée d'hôtels et de villas de bord de mer. Mais elle mérite pleinement son nom, tant par ses belles plages de sable doré que par ses collines plantées de pins, de chaque côté. Par miracle, j'ai pu voir une bande de marsouins bondissant au large des Sables-d'Or, juste au moment où le soleil se couchait. Mais c'était avant qu'une pêche intensive ait épuisé les réserves de poissons alors suffisantes pour satisfaire à la fois les marsouins et les êtres humains. J'aurai toujours une tendresse particulière pour Sables-d'Or, liée aux quatre années où nous venions passer des vacances familiales en camping, au hameau de Vieux-Bourg, sur la route du cap Fréhel. Le terrain de camping, situé sur des dunes couvertes de pins, était rudimentaire et sans apprêts, mais à quelques mètres de notre tente, nous avions une immense plage de sable !

Cap Fréhel est la promenade la plus pittoresque de la côte nord de Bretagne. S'élevant à 70 m au-dessus des vagues, qui luisent sur les rochers, le site est clairement visible depuis Saint-Malo à plus vingt kilomètres de l'autre côté de la baie. L'on prétend qu'à l'époque des corsaires, les marins de Saint-Malo étaient censés respecter les serments du mariage jusqu'à ce qu'ils aient dépassé les puissants remparts de Fréhel, mais, une fois franchi le cap, ils étaient déliés de leur vœu de monogamie jusqu'à leur retour. Depuis des siècles, il y a toujours un phare à cet endroit ; à côté de la tour actuelle, très élancée, construite en 1950, on peut voir les restes massifs d'une structure carrée qui date du XVIIe siècle. Par temps clair, du sommet du phare moderne (accessible tous les jours, en été, sauf par mauvais temps), la vue s'étend de la presqu'île de Cherbourg, à l'est, jusqu'à l'île de Bréhat à l'ouest — paysages marins couvrant plus de 50 kilomètres.

Les landes sauvages qui s'étalent sur la crête du cap constituent une réserve naturelle. Les falaises de grès, d'un gris rose, tombant à pic sur un chaos de rochers bordant la côte, sont un véritable sanctuaire pour les oiseaux, mouettes, cormorans, goélands, guillemots qui nichent dans les anfractuosités ou tournoient avec des cris perçants au-dessus de la mer. Sur toute la lande, on peut voir des traces de l'occupation allemande lors de la Seconde Guerre mondiale — des assises de canons en béton, tranchées et travaux de terrassement, des plans inclinés descendant à des silos, qui, selon toute vraisemblance servirent de rampes de lancement aux bombes et aux fusées.

La presqu'île de Fréhel est, en fait, un double cap avec deux pointes. A l'est du phare, de l'autre côté de la baie rocheuse, se trouve la pointe de la Latte séparée de la terre ferme par une profonde crevasse. Ce point fort créé par la nature est le cadre spectaculaire du fort La Latte, une forteresse en apparence imprenable, construite aux XIIIe et XIVe siècles et aménagée à la fin du XVIIe siècle pour recevoir des pièces d'artillerie. Quand je m'y suis rendu pour la première fois, il y a bien des années déjà, j'avais été intrigué en découvrant à l'intérieur et autour du fort des béliers roulants de style moyenâgeux et quelques chars d'allure rudimentaires. Le mystère fut éclairé deux ou trois ans après quand je vis, aux alentours de 1950, *Les Vikings,*

Jonquilles agrémentant de leurs coloris les jardins à la française du château de Bienassis, près du Val-André. Ce manoir fortifié date du XVe siècle.

l'épopée cinématographique de Kirk Douglas et Tony Curtis, partiellement tournée au fort La Latte.

Du cap Fréhel jusqu'autour de Saint-Malo, la côte est découpée en une succession d'estuaires dont les barres de sable et les étendues de vase découvertes à marée basse permettent d'heureuses trouvailles aux amateurs de crabes et de coquillages. Juste après le premier de ces estuaires on trouve, sur la D 786, Matignon. La ville doit sa dénomination à une famille importante du pays qui a également donné son nom à l'hôtel Matignon, célèbre demeure à Paris. De Matignon, rendez-vous au nord par la D 13 à Saint-Cast, typique station balnéaire s'étalant sur toute l'extrémité de la péninsule. Sur une hauteur qui domine la ville, se dresse un monument commémorant la bataille de Saint-Cast qui se déroula en 1758 au cours de la guerre des Sept ans et qui se termina par la défaite des forces d'invasion anglaises et galloises réunies. Erigé en 1858 pour célébrer le centenaire de la bataille, c'est une colonne surmontée d'une sculpture en fonte, aujourd'hui rouillée, qui représente le lévrier breton écrasant de ses pattes le lion britannique.

La bataille fit naître une légende qui peut bien avoir pour origine un fait réel, même s'il est évident qu'elle comporte une part d'invention. De toute façon, la légende confirme la force de la solidarité celtique. Selon cette légende, une compagnie de troupes bretonnes se trouvait, au cours de la bataille, en train de marcher contre un détachement de l'infanterie galloise qui chantait une de ses chansons nationales. Les Bretons s'arrêtèrent subitement, reconnaissant dans la chanson un des airs de leur propre pays et ils se mirent à entonner le chœur. Les Gallois s'arrêtèrent à leur tour, puis désobéissant à leurs propres officiers, Gallois et Bretons jetèrent leur armes à terre et se précipitèrent dans les bras les uns des autres.

La bataille de Saint-Cast donna lieu également à une épigramme bien peu flatteuse, adressée au duc d'Aiguillon, commandant en chef des forces françaises. Le duc ayant suivi l'évolution de la bataille d'un moulin à vent des environs, poste d'observation offrant une parfaite sécurité, ce fut l'occasion de ce mot d'esprit : « L'armée française s'est couverte de gloire et le duc d'Aiguillon de farine. » Quelles qu'aient été ses aptitudes en tant que chef militaire, il avait assez le sens de la politique ; à partir de 1755, en tant que gouverneur de la Bretagne, il aménagea le réseau routier de la région suivant son tracé actuel. Il devint plus tard ministre des Affaires étrangères de Louis XV.

De retour sur la D 786, vous traversez la baie d'Arguenon après avoir dépassé le village de Notre-Dame-du-Guildo. Un peu plus loin en descendant la rivière, sur l'autre rive, vous pouvez distinguer les tours en ruine d'un château féodal qui a ses fondations dans la boue de l'estuaire et ses créneaux parmi les arbres. Il est difficile d'imaginer aujourd'hui ce que pouvait être le château du temps de sa gloire. Bien qu'il ne soit pas officiellement ouvert au public, il vaut la peine de remonter la route latérale pour en avoir une vue plus rapprochée, car ce fut la demeure d'un personnage des plus mélodramatique de la Bretagne médiévale, le prince Gilles de Bretagne, le plus jeune fils du duc Jean V. Né en 1424, il fut élevé à la Cour d'Angleterre où il s'anglicisa totalement, environné de camarades anglais. De retour au Guildo, il engagea une troupe anglaise, fit venir des amis de Londres et adopta un style de vie tumultueux (l'expression : courir le guilledou, que le dictionnaire définit par : fréquenter les lieux mal famés date, dit-on, des débauches de Gilles et de ses amis).

Pourtant, sa chute définitive ne fut pas due à son immoralité, mais à ses interventions dans les affaires politiques. Soupçonné d'avoir comploté avec Henri VI d'Angleterre en vue d'usurper le duché de Bretagne au détriment de son frère, le duc François Ier, ce dernier le fit arrêter en 1446. Prisonnier, il fut, pendant presque quatre ans, transféré d'un château de Bretagne à l'autre, subissant des traitements de plus en plus durs, pour finalement être assassiné dans la sinistre forteresse du Hardouinais, au centre de la Bretagne centrale, à l'instigation du duc François Ier — c'est du moins le point de vue de ses contemporains. Un groupe d'ennemis de Gilles, engagea quatre assassins pour perpétrer le forfait ; après l'avoir empoisonné et à demi étranglé, ils finirent par l'étouffer sous un matelas. Il venait d'avoir 26 ans.

Fort La Latte, château médiéval adapté ultérieurement à l'usage de l'artillerie, juché sur un site imprenable, en bordure de mer, près du cap Fréhel.

Le duc François Ier ne survécut pas plus de trois mois à Gilles, torturé par le remords de la mort de son jeune frère, et peut-être empoisonné à son tour. L'année suivante, les quatre meurtriers furent traînés en justice. Condamnés, ils furent décapités, écartelés et exposés sur des échafauds. Ironie du sort, le jeune indiscipliné de la famille ducale de Bretagne acquit une réputation posthume de quasi-sainteté et l'on rapporte que des miracles eurent lieu sur sa tombe, à l'abbaye de Boquen, à vingt kilomètres au sud de Lamballe.

Contournant la côte, la D 786 vous conduit, en passant par les stations moins importantes de Lancieux et de Saint-Briac, jusqu'à Dinard, la reine de la Côte d'Emeraude. En dépit de quelques pas vers la modernité, Dinard conserve une atmosphère de tranquille élégance caractéristique de la Belle Epoque. C'est la station sophistiquée de la Bretagne du Nord où chacun peut trouver son plaisir : grandes plages de sable, gamme d'hôtels allant du somptueux à l'utilitaire, un casino et même un petit aéroport. Le nom de Dinard vient, dit-on, de l'ancien breton *din* (colline) et *arz* (ours). L'ours était un animal sacré pour les anciens Celtes, et il est certain qu'on le chassait — ou qu'on l'adorait — sur les collines de l'intérieur de la Côte d'Emeraude.

Jusqu'aux années 1850, Dinard n'était qu'un petit village de pêcheurs dépendant de Saint-Enogat qui constitue aujourd'hui la partie ouest de la station. Mais à peu près à cette époque, de riches touristes anglais commencèrent à venir y passer l'été, dans des villas de location. La maison de vacances, construite par un personnage peu connu du nom de Copinger, répondant à l'image qu'on se fait habituellement du « riche Américain » fut, dit-on, à l'origine de la carrière de Dinard en tant que station. Une descendante de M. Copinger, Mme Jenet Peers, a fouillé dans ses archives et m'a aimablement communiqué le résultat de ses recherches. En dépit de son nom à consonance américaine, James Erhart Copinger (1812-1863) était bel et bien français. En 1845, il acheta du terrain à Dinard et y construisit une demeure sur ce qui devait être alors un promontoire inoccupé, avec une vue magnifique sur la mer et au-delà de l'estuaire de la Rance. Surnommée Le Bec de la Vallée, la maison d'allure gothique, agrémentée d'un pignon, existe toujours, mais transformée maintenant en immeuble de rapport et située dans la rue Coppinger (avec un *p* supplémentaire) qui perpétue le nom de son constructeur.

La tour Solidor, du XIVe siècle, protège le petit port de Saint-Servan, aujourd'hui faubourg de Saint-Malo. Elle abrite un musée consacré aux voiliers du cap Horn.

Dans les années 1870, Henri Blackburn, un journaliste célèbre de l'ère victorienne, qui fit plusieurs séjours en Bretagne, nota ses impressions sur Dinard dans son ouvrage intitulé *Breton Folk (Gens de Bretagne)*. Il dénombra environ « 800 maisons et villas avec d'agréables jardins » louées pour l'été, et un casino prospère. La Côte d'Emeraude était alors considérée comme l'endroit idéal pour des vacances tranquilles, au bord de la mer.

« A Dinard, vous jouez au croquet sur le sable ; à Saint-Briac, vous escaladez à quatre pattes les rochers de granit à l'ombre desquels vous pêchez dans les étangs ; à Saint-Jacut, vous vous promenez sur le sable, avec une épuisette, et le soir, vous aidez les religieuses à tirer l'eau des puits. »

Breton Folk a été publié en 1880 ; mais avec quelques petits changements de détail, ce passage pourrait très bien être une description des années 1990.

De Dinard, on a une très jolie vue de l'autre côté de la Rance, sur les remparts de granit de Saint-Malo. On les entrevoit par-dessus les cars-ferries traversant la Manche et les mâts de centaines de petits bateaux. A l'est de Dinard, vous terminez le circuit de retour à Saint-Malo en passant par l'usine marémotrice : il s'agit d'un barrage construit en travers de l'estuaire de la Rance pour retenir la marée, et permettant à de gigantesques turbines de produire assez d'électricité pour alimenter le réseau local. Avant de revenir à Saint-Malo, il vaut la peine de passer quelques instants à Saint-Servan, qui ressemble tant à Saint-Malo. Véritable station par elle-même, Saint-Servan jouit de vastes places et jardins, et de nombreuses plages de l'autre côté de Dinard. Son petit port est protégé par la massive tour Solidor, construite probablement vers 1380 sur des fondations romaines. Elle abrite maintenant un musée consacré aux cap-horniers, ces gracieux clippers qui contournaient le cap Horn pour suivre les routes maritimes du commerce.

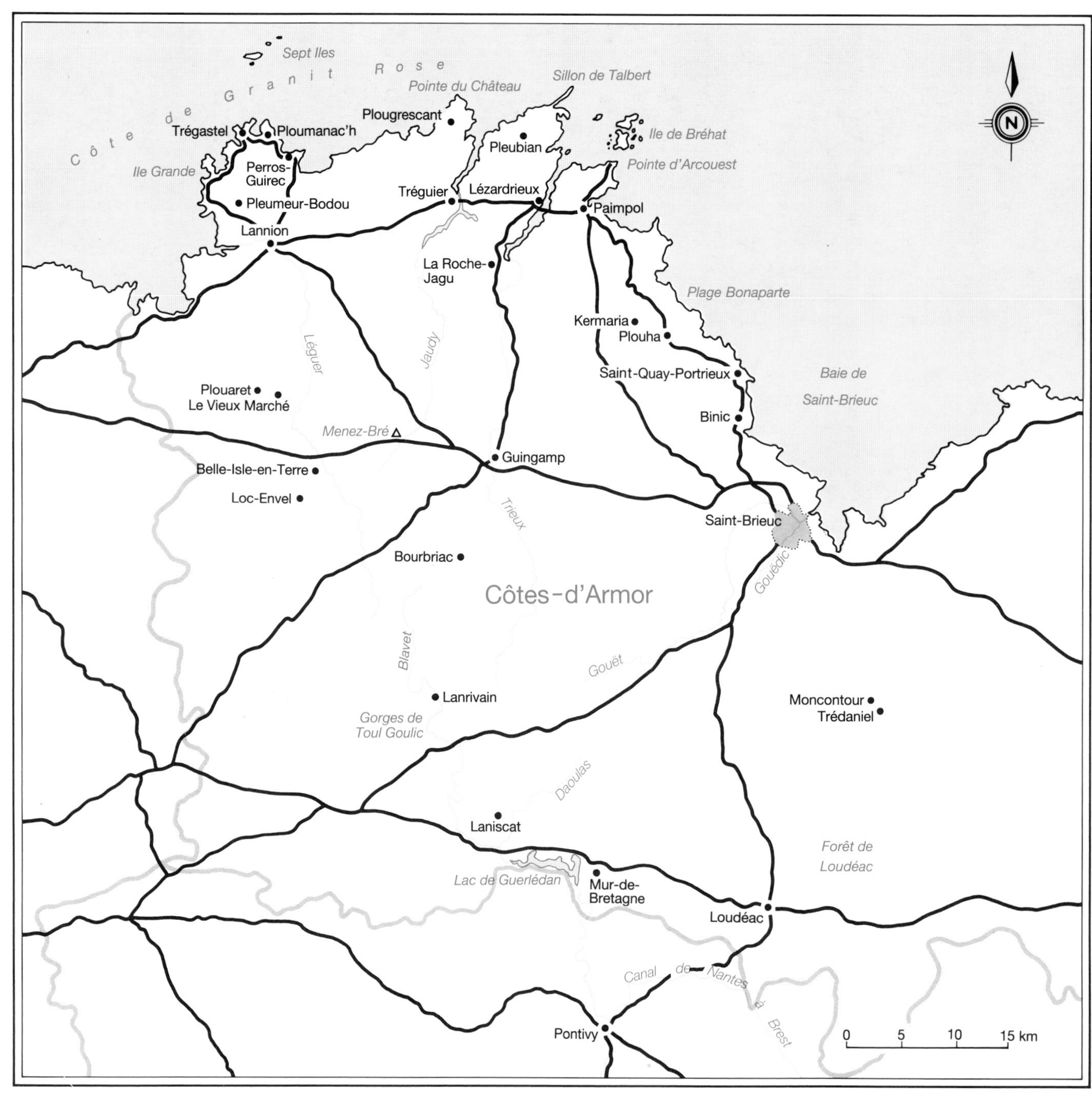

Sept Iles
Côte de Granit Rose
Pointe du Château
Sillon de Talbert
Plougrescant
Trégastel
Ploumanac'h
Pleubian
Ile de Bréhat
Ile Grande
Perros-Guirec
Pointe d'Arcouest
Tréguier
Lézardrieux
Pleumeur-Bodou
Paimpol
Lannion
La Roche-Jagu
Plage Bonaparte
Kermaria
Plouha
Léguer
Jaudy
Saint-Quay-Portrieux
Baie de Saint-Brieuc
Plouaret
Le Vieux Marché
Binic
Menez-Bré
Guingamp
Belle-Isle-en-Terre
Loc-Envel
Trieux
Saint-Brieuc
Bourbriac
Gouëdic
Côtes-d'Armor
Blavet
Gouët
Lanrivain
Moncontour
Trédaniel
Gorges de Toul Goulic
Daoulas
Laniscat
Forêt de Loudéac
Lac de Guerlédan
Mur-de-Bretagne
Loudéac
Canal de Nantes à Brest
Pontivy
0 5 10 15 km
N

2
La Côte de Granit rose

Guingamp — Saint-Brieuc — Paimpol — Ile de Bréhat

Perros-Guirec — Lannion

Guingamp est une ville typiquement bretonne, avec un noyau médiéval de maisons à pignon en granit rose, englouti dans un océan de zones industrielles et de grands ensembles d'habitation. Plaque tournante d'un réseau routier, elle a été, dès le Moyen Age, un important centre de négoce et elle connaît encore une tranquille prospérité. Son nom remonte aux heures sombres où les Bretons établirent un *gwen camp* (« camp blanc », ou peut-être « camp béni »), surplombant la rivière de Trieux, refuge contre les vaisseaux norvégiens qui ravageaient leurs côtes. C'est la ville la plus orientale de la Bretagne dans tous les sens du mot : elle est en effet située sur ce qui était autrefois la ligne de partage des deux moitiés de la province, l'une bretonnante, l'autre francisante.

Si le centre de la cité ne produit pas le choc immédiat qu'on éprouve dans bon nombre d'anciennes villes bretonnes, elle possède deux trésors architecturaux : une église en partie Renaissance presque aussi grande qu'une cathédrale, et une fontaine restaurée en style pure Renaissance. On va de l'une à l'autre en moins de deux minutes en empruntant les voies piétonnes. Prenez la place du Centre comme point de départ de votre visite : la fontaine dans sa partie basse est appelée la Plomée, tirant son nom soit du plomb employé dans sa construction, soit du mot breton *poull men* (bassin de pierre). Des nymphes, des dauphins, des griffons se dressent sur trois bassins dont la taille décroît, l'eau tombant de l'un dans l'autre.

En remontant un peu la rue Notre-Dame, s'ouvrent les porches jumeaux de la vaste et extraordinaire basilique de Guingamp. Dédiée à Notre-Dame-de-Bon-Secours (en breton Itron Varia Gwir Zikour), elle offre une combinaison très originale de gothique et de Renaissance. Plus qu'une juxtaposition de styles, c'est une greffe des éléments Renaissance sur des éléments gothiques. Les vieux édifices de la ville serrent l'église de si près qu'il est difficile d'avoir une vue d'ensemble, mais les deux tours occidentales résument bien les différences entre les époques.

La tour nord-ouest, tour de l'Horloge, en style gothique du XIIIe siècle, a un toit pyramidal coiffé d'un petit clocher. La tour sud-ouest, nommée — pour une raison qui nous échappe — la tour Plate, bien loin d'être plate, est une structure du XVIe siècle aux arcs-boutants massifs, qui se proclame, dans son inscription latine, « une force contre l'ennemi ». Une batterie de canons de pierre saillant du parapet rend incisive la proclamation. D'importants travaux furent nécessaires, après la chute, en 1535, d'une grande partie de la tour médiévale du sud-ouest dont il ne resta, dit une pierre gravée, que « grande ruisne, piteuse à voir ». Les citoyens de

Haut de porte dans le vieux Guingamp orné de sculptures d'un style Renaissance raffiné, surmontées de la coquille portée par les pèlerins se rendant à Saint-Jacques-de-Compostelle, en Espagne.

Guingamp mirent la reconstruction au concours. Le vainqueur fut Jean Le Moal, jeune architecte enthousiaste du style novateur de la Renaissance, révolutionnaire à cette époque en Bretagne. Et ce qui en dit long sur l'esprit d'avant-garde de Guingamp au XVIe siècle, c'est qu'on laissa carte blanche à l'artiste. La rue qui tourne derrière l'église porte son nom.

L'intérieur frappe immédiatement par le contraste gothique-Renaissance. Il est typiquement gothique dans l'essentiel de sa structure haute et étroite, avec ses fenêtres en arc brisé et ses délicats arcs-boutants qui soutiennent les minces colonnes du chœur. Mais dans sa spectaculaire reconstruction de toute la partie sud-ouest, Le Moal ne se soucia pas d'harmoniser son œuvre avec le style antérieur. Il relança la galerie du triforium avec la plus grande fantaisie. Elle est faite d'une double arcature surmontée de volutes en forme de S, et, au-dessus, d'un étrange passage en retrait soutenu par des montants de pierre semblables à des pieds de chaise. Chaque baie de l'arcature est ornée dans le haut, sous la voûte gothique, d'une coquille sculptée, identique à celles que l'on voit partout à l'intérieur et à l'extérieur de l'église. Traditionnellement associée à saint Jacques, elles laissent entendre que Notre-Dame était une étape sur la route du pèlerinage vers la châsse de saint Jacques, à Compostelle, au nord-ouest de l'Espagne. Cette suggestion est corroborée par la statue du saint dressée sous la galerie de l'orgue. Peint de couleurs éclatantes, il porte une coquille dans son chapeau.

Durant la Révolution française, Notre-Dame a souffert les habituelles indignités : le porche a été transformé en salle de gardes, la sacristie en prison, la tour en poudrerie, et le vaisseau de l'église en fenil. Les dommages causés par les révolutionnaires n'ont été réparés qu'au milieu du XIXe siècle. La Seconde Guerre mondiale est responsable d'autres dégâts : un obus américain a détruit la grande flèche de la tour centrale, en 1945, lors de la libération de Guingamp. Elle a été reconstruite en 1955.

Dans une église riche en traits originaux, le plus extraordinaire est le porche du nord-ouest dédié à Notre-Dame. Des rangées de cierges brûlent devant une vierge noire logée dans une niche du mur. Sur le sol est tracé un labyrinthe de pierre qui mène les pèlerins jusqu'aux mots inscrits en son milieu : AVE MARIA. Cette Madone est le point central du pardon qui se déroule à Guingamp le premier samedi de juillet, cérémonie assez bienséante aujourd'hui, alors qu'il y a un siècle et demi, elle était païenne autant que chrétienne. Chaque année ont lieu de tels pardons dans toutes les villes et la plupart des villages de Bretagne. A leur origine, simples processions de pénitents parcourant les rues derrière les reliques du saint local, ils se sont développés jusqu'à devenir de véritables festivals religieux, durant parfois plusieurs

La fontaine Renaissance de la Plomée, décorée de nymphes, dauphins et griffons, se dresse au cœur du vieux Guingamp. Derrière elle, apparaît la tour nord-ouest de la basilique Notre-Dame-de-Bon-Secours.

jours. S'ils sont maintenant essentiellement un prétexte à divertissement local, ils conservent toutefois leur fond religieux avec un rôle majeur souvent réservé au curé.

L'écrivain breton Emile Souvestre, à propos du pardon de Guingamp des années 1830, a décrit la fête qui suivait la procession dans son livre intitulé *Les Derniers Bretons* :

> *« Des cris de joie, des appels, des rires éclatants succèdent au recueillement de la procession nocturne. La foule des pénitents se rassemble sur la place où tous doivent coucher pêle-mêle sur la terre nue. Alors la sainte cérémonie en l'honneur de la Vierge immaculée finit, le plus souvent, par une orgie. Femmes et garçons se rencontrent, se mêlent, se prennent par le bras, s'agacent, se poursuivent à travers les rues obscures ; et le lendemain, quand le jour se lève, bien des jeunes filles rejoignent leurs mères, le front rouge et les yeux honteux, avec un péché de plus à avouer au recteur de la paroisse. »*

Après un coup d'œil à l'intérieur de l'église, contournez-la vers le sud pour voir son aspect le moins couru, à l'écart des foules de la rue principale. L'extérieur de la tribune d'orgue de Le Moal, avec son pignon et ses fenêtres carrées à meneaux donne à ce côté l'aspect d'un château plus que d'une église.

Guingamp est la seule ville que j'aie traversée, en Bretagne et ailleurs, où une banque est aussi une galerie d'art. Le Crédit mutuel dans la rue Notre-Dame apparaît plus comme une coquette propriété privée que comme une banque. Les grandes pièces de l'étage supérieur exposent les peintures des artistes locaux dans une collaboration inventive entre le monde de la culture et celui du commerce. En haut de la ville, la rue Notre-Dame aboutit à la large place de Verdun, dominée par l'aimable façade du XVIIe siècle de l'ancien Hôtel-Dieu, devenu la mairie. Les vestiges du château médiéval donnent sur la place, surplombant la rivière. Quant à celui du XVe siècle, démoli en 1626 sur les ordres de Richelieu, il n'en subsiste que quelques murs.

C'est à Guingamp qu'est né en 1864 le compositeur Guy Ropartz, un des rares compositeurs bretons de musique classique. Elève de Massenet et de César Franck, il a écrit quatre symphonies, de la musique de chambre, de la musique de scène, des œuvres religieuses et des mélodies, inspirées en grande partie par le folklore breton. Après avoir enseigné plusieurs années à Nancy et à Strasbourg, il est mort en 1955, à plus de 90 ans. Avec l'immense enthousiasme pour la musique traditionnelle qui règne aujourd'hui en Bretagne, il devrait y avoir au moins une petite place, dans les nombreux festivals annuels, pour Guy Ropartz et autres compositeurs « sérieux » de la région.

De Guingamp, neuf routes principales rayonnent dans toutes les directions du département des Côtes-d'Armor. Prenez la D 8, voie secondaire qui vous mène au sud, dans une des parties les plus sauvages et les plus intactes de la campagne bretonne. Bourbriac, la première localité de quelque importance, possède une église majestueuse hors de proportion avec la taille du village. Il tire son nom de saint Briac, saint patron de la région. Né en Irlande au VIe siècle, disciple de saint Tugdual, il vint en Bretagne en passant par le Pays de Galles. Il fallut huit siècles pour achever l'église. La crypte, soutenue par de robustes piliers romans, date du XIe siècle, mais la haute flèche est de la fin du XIXe siècle. Saint Briac mourut aux environs de 570. Ses restes attirèrent beaucoup de visiteurs souffrant de troubles mentaux et, au Moyen Age, Bourbriac devint un lieu de pèlerinage. Pour ne pas gêner la congrégation, les épileptiques suivaient l'office au-dessous, dans la crypte.

Juste avant Lanrivain, vous rencontrez sur votre route la chapelle Notre-Dame-du-Guiaudet, construite à la fin du XVIIe siècle après la découverte par un paysan des environs d'une statue miraculeuse de la Vierge. Outre cette statue, la chapelle possède un carillon électrique jouant sur ses seize cloches des airs du pays, et un retable sculpté représentant la Vierge couchée près de l'enfant Jésus, sujet rare dans l'iconographie bretonne.

A Lanrivain, un peu à l'écart de la route principale, vous retournez dans l'ancien monde de la religion bretonne. L'ossuaire du XVe siècle près de l'église, où

La chapelle Sainte-Suzanne du XVIIe siècle, à Mur-de-Bretagne, fut un sujet favori du peintre du XIXe siècle Camille Corot.

s'entassent crânes, fémurs et ossements divers, diffère des habituels ossuaires touristiques qui ont été vidés de leur contenu *memento mori* et ne suggèrent rien de leur origine. Un ancien calvaire est orné, entre autres sculptures, d'une mise au tombeau impressionnante. Partout en Bretagne, on trouve de ces calvaires qui vont du simple crucifix de pierre au bord du chemin où le voyageur pouvait prier pour faire bonne route, jusqu'aux constructions complexes couvertes de quantités de figures pleines de vie évoquant la Passion.

Au sud de Lanrivain, de petites routes départementales mènent à l'un des sites les plus spectaculaires de Bretagne. Les gorges de Toul-Goulic sont une vallée profonde, d'un romantisme sauvage, creusée par le cours rapide du Blavet. Bordé d'arbres dont les racines s'agrippent aux rochers des deux rives, il a un lit fait d'un âpre entassement de rochers géants, certains gros comme des maisons, recouverts çà et là d'une douce peau de mousse verte. A l'extrémité des gorges, en amont, l'eau disparaît et coule pendant 500 m environ sous les rochers avec un léger grondement semblable au roulement lointain d'un métro. L'homme primitif a sûrement vécu sur le surplomb des pierres monstrueuses de Toul-Goulic et adoré son dieu souterrain à la voix rugissante.

Au sud-est de ce lieu, une gorge aussi impressionnante a été creusée par le Daoulas. Longeant une de ses rives, elle serpente sur quelques kilomètres, du village de Laniscat jusqu'à la N 164, la D 44 bordée de l'autre côté par de hautes murailles de rochers entaillés. Aux beaux jours d'été, quand le soleil brille sur les genêts et que les ajoncs parsèment la bruyère à flanc de colline, la gorge est assez riante. Mais par temps couvert, elle peut offrir un aspect assez lugubre et menaçant.

La Bretagne n'est pas spécialement riche en ruines d'abbayes et la plupart d'entre elles donnent une impression d'abandon. C'est certainement le cas de Notre-Dame-de-Bon-Repos, à l'extrémité sud de la gorge du Daoulas. Les bâtiments monastiques, d'intérêt mineur, ont été transformés en hôtel-restaurant, alors que les vestiges de l'église médiévale, ensevelis sous le lierre, semblent menacer de s'écrouler. En 1184, sur ce beau site voisin du Blavet, douze moines cisterciens sont arrivés de Savigny, en Normandie, à l'instigation du vicomte Alain de Rohan. Le choix de ce lieu fut inspiré par la Vierge qui le lui recommanda pour le « bon repos » de son âme. Si les ruines de l'abbaye peuvent être décevantes, Bon-Repos possède un splendide cloître médiéval.

En aval de Bon-Repos, le Blavet a été endigué pour former les détours du sinueux lac artificiel de Guerlédan, qui est maintenant complètement intégré au paysage, après plus de soixante ans d'existence. Cela vaut la peine de prendre une des petites routes qui descendent au lac. Il offre, en été, un spectacle magique, où s'unissent harmonieusement les rives boisées et la surface du lac animée par les yachts et les planches à voile qui le sillonnent.

Le barrage hydro-électrique de Guerlédan est une préoccupation constante pour les habitants de Mur-de-Bretagne qui vivent en aval. La raison pour laquelle ce village pacifique a ainsi été nommé tient du mystère. Il possède une église, qui, dressée sur une place herbue entourée de chênes, fut un sujet favori du peintre Camille Corot (1796-1875).

De Mur-de-Bretagne, poursuivez votre route au sud jusqu'à Pontivy qui, à peu de choses près, est le centre géographique de la Bretagne. Pontivy est située sur le Blavet qui, en ce point de son cours, devient une rivière importante, assez large pour former un tronçon du canal de Nantes à Brest. Napoléon appréciait la position stratégique cette ville pour laquelle il avait de grands desseins, la rebaptisant Napoléonville — ce nom disparut avec son exil mais il fit une brève réapparition sous le Second Empire.

Pontivy fut fondée, dit-on, un peu avant 700 par un moine gallois Ivy ou Yvi, qui construisit le premier pont sur la rivière, donnant ainsi son nom à la cité.

Deux ou trois rues conservent encore les maisons à colombage de la ville médiévale qui se développa autour du château. Edifié à la fin du XVe siècle par le vicomte Jean de Rohan, le château se dresse sur le site d'une fortification du XIe siècle, détruite par les Anglais en 1342. Ses murailles massives et ramassées joignent des

Gonflé par les pluies du printemps, le Daoulas se jette sur les rochers des gorges de Daoulas, dans l'une des plus sauvages régions de la Bretagne centrale.

tours circulaires qui dominent la ville. A l'intérieur, sont aménagées de magnifiques cheminées de pierre du XVIe siècle, sculptées d'armoiries avec des animaux héraldiques. La boiserie raffinée du toit des tours en poivrière mérite d'être examinée en détail ; c'est un chef-d'œuvre de charpenterie. Pendant l'été, la grande galerie entre les tours sert à des expositions originales. L'une des dernières, présentée en noir et blanc, avait pour thème la sorcellerie, l'alchimie et les arts qui s'y rapportent. L'étage inférieur de la tour septentrionale contient une petite collection d'anciennes presses à imprimer.

De Pontivy, gagnez Loudéac, au nord-est. Cette ville, dénuée de tout caractère mémorable, fameuse dans le passé pour ses cultures de lin, est maintenant un centre de fabrication de charcuterie et de nourritures à base de viande. La forêt de Loudéac, au nord-est de la ville, faisait autrefois partie de la forêt de Brocéliande qui couvrait toute la Bretagne centrale. On y a encore tué des loups, dit-on, au XIXe siècle.

Au nord de Loudéac, prenez la D 768 et dirigez-vous sur Moncontour, petite ville , restée très médiévale, bâtie autour d'une simple place bordée de maisons en granit. La ville est située sur un éperon de terre au confluent de deux vallées. Pendant les guerres incessantes du Moyen Age, c'était une position stratégique, qui fut assiégée en trois occasions différentes. Une grande partie de ses remparts subsiste. L'église du XVIe siècle, dédiée à saint Mathurin, possède six superbes vitraux à thèmes bibliques, datant d'environ 1500.

Les fidèles de saints inhabituels, ainsi que les hypocondriaques doivent dénicher la chapelle Notre-Dame-du-Haut qui se dresse sur un tertre herbeux à l'extérieur du village de Trédaniel, à l'est de Moncontour. Dans l'austère petite chapelle du XVIIe siècle sont rangées les statues aux couleurs vives des « sept saints guérisseurs » de Bretagne. On trouverait difficilement une maladie qui ne soit pas du domaine de l'un ou de l'autre. Saint Livertin se tient la tête pour montrer qu'il s'occupe des migraines. Saint Houarniaule (ou Hervé) soigne les

La tourelle d'angle et les pignons du massif château de Pontivy construit au XVe siècle sur des fondations antérieures.

Statue de saint Yvertin dans la chapelle Notre-Dame-du-Haut, près de Moncontour. Yvertin est l'un des « sept saints guérisseurs » de Bretagne. Il est supposé guérir les migraines persistantes.

frayeurs irrationnelles. Il tient un loup en laisse parce que, dans les temps anciens, on supposait que de telles frayeurs étaient causées par la vue d'un loup-garou. Saint Hubert, équipé d'un vouge, guérit les blessures. Saint Méen prévient la folie, et saint Mamert tient ses intestins distendus à deux mains pour indiquer que les digestions douloureuses le concernent. La seule femme du groupe, sainte Eugénie, assure des accouchements faciles.

Les cyniques peuvent sourire de ces conceptions naïves. Pourtant, le nombre d'ex-voto modernes portant gravé le mot *Merci* montre que, pour les croyants, les saints guérisseurs sont encore aussi efficaces que les médecins. Chaque année, au 15 août, se déroule ici un pardon.

C'est à un autre miracle que la chapelle doit son existence et sa consécration à la Vierge. Un jour, au cours du XVe siècle, un voyageur fut attaqué par des brigands

qui, après l'avoir dépouillé, s'apprêtaient à le pendre à un chêne. Levant les yeux, il vit avec stupéfaction une statue de la Vierge sur une des branches de l'arbre. Il fit le vœu de peindre la statue si elle le sauvait, de courir avec elle aussi loin qu'il le pourrait et de bâtir une chapelle là où il tomberait d'épuisement. Sur l'approbation de la Vierge, un ange apparut et mit en fuite les bandits. Le voyageur se mit à courir et arriva jusqu'au tertre herbu qui domine Trédaniel ; et la chapelle fut dûment construite. L'histoire est représentée sur l'un des vitraux.

De retour à Moncontour, mettez le cap sur Saint-Brieuc en suivant la D 1. Chef lieu des Côtes-d'Armor, complexe commercial et industriel actif et en expansion, Saint-Brieuc n'a pas le pittoresque de bien des villes de Bretagne, plus riches d'histoire. Toutefois, ce n'est pas une cité à traverser à la hâte, car son vieux centre est tout à fait digne d'intérêt. Son site est magnifique, entre deux rivières, le Gouëdic à l'est, le Gouet à l'ouest, distant de la mer de quelque 3 kilomètres ; son drame tient pour beaucoup à sa nature accidentée ainsi qu'à ses problèmes de circulation.

La fondation de Saint-Brieuc remonte à la fin du VIe siècle, à l'époque où le moine gallois Brioc ou Brieuc traversa la Manche, aborda dans la baie de Saint-Brieuc et établit une communauté monastique aux environs de l'actuelle rue de la Fontaine-Saint-Brieuc. Autour du monastère se développa une ville dont les habitants, au Xe siècle, furent sans cesse en lutte contre les envahisseurs normands.

La sévère cathédrale Saint-Etienne fut érigée en grande partie au début du XIIIe siècle par Guillaume Pinchon, évêque hors du commun qui combattit le duc de Bretagne, et fut canonisé peu après sa mort en 1234. Elle est construite sur pilotis au-dessus d'un terrain marécageux. Ses tours jumelles crénelées et percées de meurtrières lui donnent l'aspect d'une forteresse plutôt que d'une église. Très endommagée par un incendie en 1353, elle fut reconstruite par le duc de Bretagne de l'époque. La nef,

Maison à colombage, dans une rue proche de la cathédrale du XIIIe siècle, à Saint-Brieuc, ville essentiellement moderne, avec un centre médiéval.

Station du chemin de croix, dans la cathédrale de Saint-Brieuc, due à Saupique.

rebâtie au XVIIIe siècle, servit d'écurie pendant la Révolution. La cathédrale mérite une visite pour la tombe de saint Guillaume, et une splendide rosace dans le bras sud du transept, ainsi qu'un chemin de croix moderne.

Saint-Brieuc possède quelques beaux jardins publics, notamment les Grandes Promenades surplombant la vallée du Gouëdic, où vous pouvez flâner dans de larges allées entre des étendues de plates-bandes fleuries. On y voit, entre autres statues, le buste du romancier et dramaturge Villiers de l'Isle-Adam, né à Saint-Brieuc en 1838. Fervent catholique, pionnier du symbolisme, il a écrit des nouvelles à la manière d'Edgar Allan Poe. Le port de la ville, au nord, appelé Port du Légué est le lieu où saint Brieuc est censé avoir débarqué. Abrité par la profonde vallée du Gouet, il peut recevoir des navires de 1500 tonnes et plus. C'est aussi un centre de pêches très variées.

La route de Paimpol, partant de l'ouest de la baie de Saint-Brieuc (D 786), longe des dizaines de petites baies et anses ; plusieurs d'entre elles sont occupées par de minuscules stations balnéaires où l'on descend par d'étroits chemins. Deux d'entre elles ont atteint une taille importante et sont largement dotées de marinas et mouillages pour petits bateaux : Binic, qui autrefois abritait une flotte allant pêcher la morue jusqu'en Islande, et Saint-Quay-Portrieux, qui dispose de quatre belles plages, et pousse la sophistication jusqu'à posséder un casino.

Il n'est pas surprenant que bon nombre de saints venus d'Angleterre aux premiers jours du christianisme breton aient débarqué sur cette côte facile d'accès. Le mouvement s'inversa pendant la Seconde Guerre mondiale lorsque les Alliés s'enfuirent des criques alors que leurs avions venaient d'être abattus. Cette opération est commémorée par un monument proche de la plage Bonaparte, fermée par une falaise. On y accède par un cul-de-sac descendant de la D 786 à 2 km au nord de la petite ville de Plouha.

Il faut un effort d'imagination pour se représenter la plage durant la guerre, car un grand parking en occupe maintenant la partie arrière et un tunnel creusé dans le roc facilite l'accès au bord de mer. A l'entrée du tunnel, une inscription rappelle comment, entre juillet et août 1944, 135 aviateurs alliés « s'embarquèrent en secret pour l'Angleterre à la faveur des nuits obscures ». Le nom de code donné à cette opération de sauvetage fut Bonaparte, d'où le nom actuel de la plage, appelée auparavant anse Cochat. Le message codé de la BBC annonçant les préparatifs d'un décollage était la phrase : « Bonjour à tous dans », allusion à une petite maison en haut de la falaise. Et l'annulation d'une mission était notifiée par : « Denise, ta sœur est morte ».

L'écrivain français Rémy (Gilbert Renault), qui fut lui-même un combattant de la Résistance dans une autre région de France, retrace, dans son livre *La Maison d'Alphonse*, l'atmosphère de tracas et d'excitation créée par de tels sauvetages. Les aviateurs étaient amenés, par deux ou trois, de leurs cachettes jusqu'au rendez-vous de la maison d'Alphonse. De là, on les guidait, à travers le champ de mines en haut de la falaise, puis sur le sentier descendant à pic jusqu'à la plage, où ils attendaient les canots permettant leur évasion. La plage Bonaparte n'était pas un endroit sûr pour envoyer un signal à la corvette britannique dirigeant l'opération, car sur la pointe de la Tour, saillie située un peu au nord, était établi un avant-poste allemand. Aussi le groupe de la Résistance indiquait-il qu'ils étaient prêts en projetant, d'une grotte invisible aux yeux des Allemands, la lumière fixe d'une lampe bleue placée dans un tube de carton. Simultanément, un homme caché à mi-hauteur dans la falaise faisait en morse les signaux d'un B ou d'un H. L'opération se déroulait à merveille, à tel point que les Anglais l'appelaient « le service du bus de la Manche ».

A 3 kilomètres de Plouha, à l'intérieur du pays, la petite chapelle de Kermaria-an-Iskuit (maison de Marie la guérisseuse) recèle des trésors inattendus. Au-dessus du porche, la salle où l'on rendait la justice à l'époque féodale, s'ouvre sur un balcon. On y prononçait les sentences. Ce porche abrite les statues peintes des apôtres. A l'intérieur de la chapelle, parmi d'autres statues, on trouve une Vierge allaitant son enfant, chaussée de sabots qui dépassent de sa robe. Le plus étonnant de tout, ce sont les fresques au-dessus des arcades. Peintes en 1500 environ, elles représentent une danse des morts comprenant quarante-sept personnages, dans laquelle squelettes et cadavres alternent avec des êtres vivants de toutes classes et professions, du roi au laboureur, du prêteur au moine.

De retour sur la D 786, juste au sud de Paimpol, on trouve les ruines de l'abbaye de Beauport, entourées d'arbres, dominant la baie de Paimpol. Elle fut fondée en 1202 pour des moines de l'ordre des prémontrés et elle resta une abbaye jusqu'à la Révolution où elle devint une fabrique de poudre à canon. Ses vestiges datant pour l'essentiel du XIIIe siècle, comprennent une partie du transept et du chœur, ainsi que l'immense réfectoire qui s'ouvre sur la Manche. C'est la preuve que les moines du Moyen Age savaient se ménager des panoramas.

Plage Bonaparte, vue du sud, avec son mur de falaise. C'est là que, pendant la Seconde Guerre mondiale, des dizaines d'aviateurs alliés, dont les appareils avaient été abattus, se rembarquèrent clandestinement pour l'Angleterre.

Comme Binic sur la côte, Paimpol fut autrefois un centre industriel axé sur la pêche de la morue dans les eaux d'Islande, mers lointaines où, tous les ans, se rendait sa flotte de plus de quatre-vingts goélettes. Aujourd'hui, le port regorge de bateaux de plaisance, mais on voit encore parmi les yachts blancs et lisses quelques barques équipées pour la pêche professionnelle en haute mer. Paimpol conserve, dans le musée de la Mer, les souvenirs de son histoire maritime et de son industrie de la pêche, tout au long de son évolution, avec une quantité impressionnante de cartes, modèles réduits de navires et vieilles photographies. Le port est entré dans le domaine littéraire grâce à Pierre Loti dont le roman *Pêcheur d'Islande* publié en 1886, a fait connaître à un large public les dures réalités de la vie d'un pêcheur de morue. La tradition de la navigation paimpolaise est maintenue par une école formant les officiers de la marine marchande, la plus ancienne école de cette sorte en France.

De Paimpol, continuez vers le nord jusqu'au bout de la route, à la pointe de l'Arcouest, d'où vous verrez, au bout d'un chenal long de 4 kilomètres, l'idyllique île de Bréhat. A dix minutes en bateau, Bréhat offre, à l'abri de la circulation et donc de la pollution, un petit havre, plein de plantes et d'oiseaux, avec une profusion presque méditerranéenne d'arbres et d'arbustes, mimosas, figuiers, lauriers-roses... Le meilleur moyen de profiter de l'île est d'y louer un vélo à votre arrivée et de flâner doucement le long des sentiers. Bréhat est en réalité constituée de deux îles reliées par un isthme, avec une petite commune dans sa moitié sud, qui s'appelle simplement Le Bourg. La côte septentrionale offre un contraste saisissant avec l'aspect aimable de l'intérieur. Faite d'un amas de roches roses qui donnent son nom à cette portion de la côte (Côte de Granit rose), elle gagne à être vue du large, sur un des bateaux d'excursion qui font le tour de l'île pendant tout l'été.

Aux Ve et VIe siècles, un des îlots voisins de Bréhat, Lavrec ou Lavret, fut le site d'une école fameuse fondée par saint Budoc, où les futurs saints missionnaires étaient formés à leur tâche d'évangélisation. Les fondations de leurs cellules rondes en forme de ruche existent encore, dit-on. Au Moyen Age, Bréhat était célèbre pour l'esprit aventureux de ses pêcheurs qui faisaient voile jusqu'aux bancs de poissons de Terre-Neuve et du Labrador bien avant la découverte de l'Amérique par Christophe Colomb. Et on raconte même que Colomb entendit pour la première fois parler du Nouveau Monde de la bouche d'un corsaire de Bréhat, appelé Coätenlen, qu'il rencontra à Lisbonne en 1484, huit ans avant son voyage épique.

Revenez à Paimpol, et prenez la D 786 à l'ouest vers Tréguier. Passez le pont de Lézardrieux qui vous offrira une large vue sur tout le cours du Trieux, puis tournez à gauche pour gagner par la D 787 le château de la Roche-Jagu, à 10 kilomètres en amont. Situé en haut d'une pente boisée, il domine la rive gauche escarpée du Trieux. Ses tours fortifiées sont intégrées au bâtiment principal construit au XVe siècle sur le site de deux forteresses antérieures. Restauré dans les années 1970, il a été transformé en centre culturel où se déroulent l'été des expositions, des concerts et des conférences.

De retour à Lézardrieux, mettez le cap au nord, par la D 20, sur la presqu'île de Pleubian qui sépare les estuaires du Trieux et du Jaudy. Elle prend fin au sillon de Talbert, une étroite langue de galets qui ne dépasse guère 30 m de large, mais qui s'avance de 3 kilomètres dans la mer. Couverte de houx de mer et d'autres plantes marines, elle protège le Trieux de la violence des vents du nord-ouest.

Son intérêt commercial, c'est le goémon que récoltent les fermiers locaux et qu'ils font décomposer pour enrichir leur terre. Pendant la Seconde Guerre mondiale, les Allemands ont utilisé tant de galets et de sable pour construire leurs fortifications côtières que l'écologie du sillon a presque été détruite. Aujourd'hui, elle est rigoureusement préservée.

Du sillon, la D 20 continue autour de la presqu'île, passe par le village de Pleubian et arrive à Tréguier, sur l'autre rive du Jaudy. Tréguier est une vieille ville qui serait certainement aussi connue que Dinan si elle était plus accessible. Comme à Dinan, les rues aux maisons anciennes montent à pic du rivage, bordé de bateaux, vers le centre de la cité. Celle-ci est dominée par la haute flèche de la cathédrale, ajourée de trous de toutes les formes et tailles pour affaiblir le vent du nord soufflant de

Villa isolée, construite au XIXe siècle près de Paimpol, qui se reflète dans son lac.

Le château de La Roche-Jagu, du XVe siècle, construit sur un site dominant la rivière du Trieux, est maintenant un centre culturel régional.

la mer. Cette église, dédiée à saint Tugdual, un des sept saints fondateurs et premier évêque de Tréguier, est une des plus étonnantes de Bretagne. D'un plan inhabituel, elle possède trois tours dressées l'une à la croisée et chacune des deux autres sur un bras du transept (la flèche se dresse au-dessus du transept méridional qui est aussi l'entrée principale).

La majeure partie de la cathédrale a été réalisée du XIIIe au XVe siècle, mais la tour du nord appelée tour Hasting, est une construction romane réalisée du Xe au XIe siècle. L'intérieur est un harmonieux mélange de roman et de gothique. Les arcs en plein cintre du croisillon nord reposent sur des chapiteaux décorés d'entrelacs et de personnages naïfs. Le chœur aux gracieuses arcades possède une voûte ornée de peintures du XVe siècle où figurent des anges portant des banderoles. Il contient un ensemble très original de quarante-six stalles Renaissance ornées de sculptures représentant des sauvages ou d'autres sujets fantaisistes. Parmi les nombreuses statues, un imposant Christ en bois du XIIIe siècle est conservé dans une chapelle latérale de l'abside. Mais l'œuvre la plus remarquable au point de vue de l'histoire, sinon à celui de l'art, est la triple statue de bois qu'abrite le croisillon sud : saint Yves, le saint du pays, patron mondial des juristes, y figure entre un riche et un pauvre, allusion au plus fameux de ses jugements dignes de Salomon.

Yves Hélory est né en 1253 dans un manoir de Minihy, faubourg de Tréguier. Pendant une dizaine d'années, il étudia le droit et la théologie à la Sorbonne et ailleurs, et finalement se consacra à la prêtrise en tant qu'avocat ecclésiastique. Il exerça presque toute sa vie à Tréguier où il était renommé pour son aide aux clients pauvres qui ne pouvaient pas payer les frais de justice. Le jugement auquel se réfère le groupe sculpté de Tréguier — comme d'ailleurs toutes les représentations de saint Yves en Bretagne — s'est déroulé comme suit : un riche avait intenté un procès à un pauvre car ce dernier ne soutenait son corps et son âme que par les fumets s'exhalant de la cuisine du riche. Yves fournit une pièce de monnaie, la frappa, et la faisant tinter à l'oreille du riche énonça ce verdict : le son de la pièce paiera l'odeur de la nourriture.

Prêtre de paroisse, Yves travailla sans relâche parmi les pauvres de Tréguier, construisant pour eux un foyer et s'occupant des orphelins de la ville. D'un ascétisme devenu proverbial, il portait toujours un cilice et faisait tremper dans l'eau sa tunique de dessus pour augmenter son inconfort. Il vivait essentiellement de pain et de légumes, passait la plus grande partie de la nuit à prier et à méditer, et ne dormait qu'un court moment avant l'aube sur un lit d'argile garni de paille. Il mourut en 1303, âgé seulement de 49 ans, épuisé par son dur travail et les privations qu'il s'était imposées. Sa tombe dans la cathédrale de Tréguier devint bientôt un lieu de pèlerinage, lié aux secours miraculeux qu'avaient reçus, disait-

Cette vue prise du cloître sur le côté nord de la cathédrale de Tréguier montre bien la complexité architecturale de l'édifice. La flèche est percée d'ajours qui amoindrissent la force du vent.

on, ceux qui avaient invoqué son nom. Il fut canonisé en 1347. Peu de temps après sa mort, son extraordinaire honnêteté fit l'objet d'un couplet en latin :

Sanctus Yvo erat Brito
Advocatus et non latro,
Res miranda populo,

(Saint Yves était un Breton,
Avocat et non larron,
Emerveillement des braves gens)

vers que feraient bien de prendre à cœur la foule d'avocats qui se rassemblent chaque année au grand pardon de saint Yves, le 19 mai, anniversaire de sa mort et de sa canonisation. Derrière une châsse de bronze doré contenant son crâne, une procession solennelle se rend de sa tombe dans la cathédrale à Minihy, son village natal.

Un autre fils célèbre de Tréguier, Ernest Renan, dont la volumineuse statue dressée sur la place bordée d'arbres face à la cathédrale le représente affaissé, se situe exactement à l'opposé de l'éventail des idées religieuses. Né en 1823, il scandalisa le catholicisme orthodoxe romain par sa *Vie de Jésus*, publié en 1863, livre dans lequel il répétait que le Christ était un homme comme les autres — un homme incomparable, mais néanmoins de nature humaine. Son lieu de naissance, une solide maison à colombage un peu en retrait de la place, est maintenant un musée où portraits et cartes de ses grands voyages abondent. Ironie du sort, Renan le sceptique a en fait visité la Terre Sainte, alors que saint Yves le croyant n'a guère mis les pieds hors de sa paroisse natale.

De Tréguier, prenez la D 8 au nord pour aller à Plougrescant. La chapelle de Saint-Gonéry, au centre du village, a une originalité par rapport à toutes les constructions bretonnes : une flèche de clocher pour ainsi dire en tire-bouchon. Cette bizarrerie résulta de la dégradation de la charpente d'origine qui laissa la couverture de plomb du toit se tordre, tandis qu'elle se détériorait. Quand on refit la charpente, les habitants étaient si attachés à l'étrange aspect de la flèche qu'ils insistèrent pour la conserver. A l'intérieur, sur le plafond de bois de la nef est peinte une merveilleuse série de scènes bibliques naïves, d'aspect curieusement byzantin, bien qu'elles datent du XVIe siècle. Détériorées, il y a quelques années par l'effet du temps et de la négligence, elles ont été récemment restaurées. Un panneau typique représente Adam et Eve assis, habillés de petites feuilles de la tête aux pieds, l'air coupable et terrifié. Le tableau de dessous est une Cène où l'on voit Judas quittant fugitivement la table, incité par un diable cornu. Sur le sol de la chapelle repose un sarcophage de pierre sur lequel, affirme-t-on aux visiteurs, saint Gonery vint de Grande-Bretagne au VIe siècle, naviguant à force de rames. Au-delà de Plougrescant, des sentiers mènent à la pointe du Château où font saillie des affleurements noirs semblables aux crochets abandonnés à la pourriture sur la plage couverte d'algues. Juste au sud-ouest de la pointe, se dégage l'une des vues les plus extraordinaires de Bretagne : une villa serrée entre des rochers géants, avec la mer derrière et un limpide lagon par-devant.

De retour à Tréguier, poursuivez à l'ouest sur la D 786 pendant 5 km, puis prenez à droite la D 6, route de Perros-Guirec. C'est la principale station des Côtes-d'Armor, construite autour d'un promontoire, fusionnant vers l'ouest avec les villes moins imposantes de Ploumanac'h et de Trégastel. Ce lieu possède une foule d'hôtels, une splendide plage orientée vers le nord (plage de Trestraou), un casino, un centre de thalassothérapie. Parmi les soins dispensés, citons les jets d'eau de mer à haute pression, les cataplasmes d'algues boueuses ou les séances d'autosuggestion pour s'arrêter de fumer. Son nom composé vient du breton Penroz qui peut signifier haut de la colline ou promontoire rose combiné au nom d'un saint celtique resté obscur, Guirec, qui, comme saint Gonéry, est censé avoir traversé la Manche dans une auge de pierre. Une explication plausible de la popularité dans le folklore de ce mode de transport réside dans le fait que les auges, ou sarcophages, servaient de lest sur les navires celtiques venant de Cornouailles.

Les amoureux des oiseaux se doivent de faire la promenade de trois heures en bateau qui les mènera de Perros-Guirec aux Sept-Iles, à 5 km de la côte. Ces petites îles constituent une des réserves ornithologiques les plus importantes de France, créée en 1912 par la Ligue pour la protection des oiseaux (L.P.O) après que la chasse les eut presque complètement fait disparaître. Tout autour des îles, des macareux effleurent les vagues comme de petits jouets mécaniques, des cormorans se posent sur les rochers ou plongent avec agilité pour attraper un poisson, et les goélands tournoient en poussant des cris perçants au-dessus de nos têtes ou se juchent gauchement sur des saillies de rocher. Le bateau vous débarque ensuite sur l'île aux Moines où vous pouvez grimper jusqu'au phare pour contempler le panorama et admirer la précision du foyer flottant sur du mercure, et visible en mer à 35 km.

En allant de Perros-Guirec à Trégastel, vous passez devant la jolie chapelle du XVe siècle de Notre-Dame-de-la-Clarté ; construite en granit local rose vif, c'est un des joyaux architecturaux de la région de Tréguier. Une inscription date sa fondation de l'année 1455 ; toutefois, elle n'était pas encore achevée trente ans plus tard. La tour du clocher et son aiguille ont été ajoutées au XVIe siècle. Au-dessus du porche principal, on peut voir une Vierge à l'Enfant en granit, rongée par le temps. A l'intérieur, se trouvent plusieurs statues rustiques de saints en bois, parmi lesquelles celles de saint Nicolas, saint Sébastien et saint Fiacre, le patron des jardiniers, avec sa bêche.

On raconte que cet édifice aurait été construit par un amiral breton qui, pris dans la brume au large des Sept-Iles, aurait fait vœu d'élever une chapelle en l'honneur de la Vierge s'il s'en sortait sain et sauf. A ce moment précis, la brume se dissipa, laissant apparaître avec clarté la côte, ce qui le sauva. Aux environs de la fin de la Seconde Guerre mondiale, la brume réapparut dans l'histoire de Notre-Dame-de-la-Clarté, mais cette fois pour assurer son salut. Un bataillon allemand s'était retranché sur une colline voisine, avec des pièces d'artillerie pointées sur Perros-Guirec et des forteresses volantes américaines décollaient pour les bombarder. Pendant trois jours d'affilée, une nappe de brouillard venue de la mer recouvrit le site, interdisant tout combat. Le théâtre des opérations s'étant ensuite déplacé, la ville et la chapelle furent sauvées. Aux environs de Ploumanac'h, une petite station balnéaire est divisée en deux parties par une avancée de terre. Si vous y allez en été, quand il y a risque de foule, laissez votre voiture à quelque distance et rendez-vous à pied au village. Au milieu de sa plage principale, dite de Saint-Guirec, s'élève, chose assez extraordinaire, un petit oratoire fait d'un dais de pierre abritant l'effigie en granit du saint. La statue primitive en bois avait gravement souffert par le passé des épingles que

La flèche en tire-bouchon de la petite chapelle de Saint-Gonéry à Plougrescant. Son intérieur est orné de scènes bibliques naïves.

lui plantaient dans le corps les jeunes filles désirant se marier. Elle est maintenant conservée dans la chapelle qui domine la plage.

Ploumanac'h doit sa renommée à l'extraordinaire amoncellement, le long des rivages, de roches de granit rose auxquelles des millénaires d'érosion par le vent et les embruns ont donné des formes fantastiques, anthropomorphes et zoomorphes. Quelques-unes offrent une ressemblance imaginaire avec des animaux (tortue, éléphant, baleine, bélier) tandis que d'autres ont reçu des noms fantaisistes comme le Chapeau de Napoléon ou la Tête de Mort. Ces rochers se prolongent autour de Trégastel, station plus importante que Ploumanac'h, avec son choix de belles plages.

Au sud-ouest de Trégastel, la D 788 longe davantage de plages sableuses. Après environ 6 km, tournez à droite à L'Ile-Grande, qui est plutôt, grâce au pont qui la relie à la côte, une presqu'île rocheuse balayée par les vents qu'une

île à proprement parler. Un centre ornithologique y a été implanté ces dernières années où des ornithologues professionnels poursuivent des recherches sérieuses et où le simple curieux peut s'instruire sur la vie des oiseaux de la région, en visitant l'exposition permanente. Une partie importante des travaux du centre porte sur la réadaptation des oiseaux touchés par la pollution pétrolière — tâche rendue urgente par les marées noires répandues sur les côtes bretonnes, dont la plus grave a été causée par le naufrage, au large de la côte nord du Finistère, de l'*Amoco Cadiz* en 1978.

Le paysage de landes et de bruyères de l'intérieur de l'île est dominé par l'immense radôme blanc du premier centre français de télécommunications par satellite installé à Pleumeur-Bodou en 1962. Tout près, une coupole de cuivre signale un planétarium où vous pouvez contempler le ballet des planètes et des étoiles ou prendre connaissance des plus récentes découvertes astronomiques par le biais de spectacles audio-visuels. En contraste avec ce monde magique de la technologie, dans un encaissement au-dessus du radôme, des archéologues sont en train d'installer peu à peu un « village gaulois » en employant dans la mesure du possible les techniques et les matériaux en usage dans les tribus bretonnes, avant l'arrivée des Romains. Au cours de ma visite, en 1988, ils avaient déjà construit un immense bâtiment tout en longueur à structure de bois, sans aucun clou ni fixation métallique d'aucune sorte, et bâti des fours en plein air et des lavoirs semblables à ceux que l'on peut encore voir, çà et là, à la campagne. Les jeunes de tous les pays du monde sont invités à venir travailler, pendant l'été, à la réalisation de ce projet vraiment international.

Une courte distance, à l'intérieur des terres, sépare Pleumeur-Bodou de Lannion, la principale ville de la Côte de Granit rose. Depuis l'ouverture du centre de télécommunications dans les années 1960, cette ville commerciale assoupie s'est transformée en un centre florissant de l'électronique de pointe. Le Léguer, qui coule en plein cœur de la ville, donne à celle-ci une impression d'espace assez peu habituelle : sur la rive gauche, se dressent les bâtiments d'un vaste couvent du XVIIIe siècle, tandis que, sur la droite, les rues du vieux Lannion escaladent les pentes escarpées de la colline surplombant la rivière. Les maisons à revêtement d'ardoise les plus remarquables se trouvent sur la place du Général-Leclerc, au centre de la ville, que l'on peut rejoindre en montant à partir du Léguer la rue piétonne des Augustins. Au bout se trouve la grande église Saint-Jean-de-Baly, construite, pour l'essentiel, au XVIe siècle, comme son clocher carré inachevé, jamais vraiment terminé.

Ne quittez pas Lannion sans gravir les 142 (ou 140 ou 144, comptez-les vous-même !) marches de granit conduisant à la splendide église romane de Brélévénez, édifiée par les templiers, qui constitue un des beaux exemples d'archi-

Le minuscule oratoire de Saint-Guirec, sur la plage de Ploumanac'h, abrite une statue du saint. Tout autour, les étranges rochers rosâtres de la Côte de Granit rose auxquels l'érosion a donné des formes fantastiques.

Ces façades médiévales, l'une à revêtement d'ardoises, l'autre à colombage, sur la place du Général-Leclerc à Lannion, indiquent l'ancien centre de la ville.

Déambulatoire roman de l'église de Brélévénez, édifiée au XIIe siècle par les templiers, en haut du vieux Lannion.

tecture du XIIe siècle en Bretagne. Le haut clocher date, lui, du XVe siècle ; quant à la crypte, elle renferme un curieux Saint-Sépulcre du XVIIIe siècle. De la terrasse sur laquelle se dresse l'église, vous pouvez jouir d'un très large panorama sur Lannion et la vallée du Léguer.

En sortant de Lannion par le sud, prenez la D 11 qui traverse la campagne et, à 5 km, tournez à gauche pour vous rendre au château de Tonquédec, une des plus imposantes ruines féodales de la Bretagne. Se dressant dans un décor d'arbres, le château domine la vallée du Léguer. Achevé au début du XVe siècle, il a été démantelé sur les ordres du cardinal Richelieu en 1622. Ses puissantes courtines sont protégées par des tours, et les murs du donjon central ont 4 m d'épaisseurs. Toute proche, la chapelle de Kerfons, construite aux XVIe et XVIIe siècles, est remarquable par sa décoration intérieure avec son élégant jubé Renaissance et ses vitraux du XVIe siècle. A côté de la chapelle se dresse au milieu des marronniers un ancien calvaire.

Reprenez la D 11 et, à Plouaret, tournez sur votre gauche pour aller voir Le Vieux Marché. Un peu plus au nord du village, se dresse sur un espace engazonné, une charmante chapelle portant pour unique dédicace : Les Sept Saints. Il ne s'agit pas des fameux « sept saints fondateurs de la Bretagne », ni des « des sept saints guérisseurs » de Notre-Dame-du-Haut, mais des « sept saints dormants d'Ephèse ». C'étaient de jeunes chrétiens originaires d'Ephèse, en Asie Mineure, qui, au IIIe siècle, avaient été emmurés dans une grotte, sur l'ordre de l'empereur romain, pour avoir refusé d'abjurer leur religion. Au bout de deux siècles pendant lesquels ils avaient miraculeusement survécu en dormant, ils furent libérés et retournèrent à Ephèse avec une faim inassouvie depuis deux cents ans. Quand ils offrirent pour payer leur nourriture de la monnaie du IIIe siècle aux Ephésiens du Ve, on les questionna, ils racontèrent leur histoire, et c'est ainsi qu'ils furent bientôt canonisés. Pour honorer leur origine proche-orientale, les musulmans tout comme les chrétiens participent au pardon qui se déroule à la chapelle des Sept-Saints, chaque année, en juillet.

En sortant du village Le Vieux Marché, prenez au sud la D 88, puis suivez vers l'est la N 12 que vous quitterez bientôt pour aller à Belle-Isle-en-Terre. Cette tranquille petite ville, située dans une douce campagne agrémentée de lacs et de rivières, doit son nom à des moines venus de Belle-Ile (autrefois Belle-Isle-en-Mer) qui s'y installèrent au Moyen Age. Au nord de Belle-Ile, de l'autre côté de la nationale, on trouve, en haut d'une colline, la chapelle de Locmaria, connue pour son beau jubé du XVIe siècle orné de peintures représentant les douze apôtres.

A 3 km au sud de Belle-Isle, vous pouvez visiter dans le village de Loc-Envel une chapelle un peu plus ancienne, également riche d'un beau jubé. Le village est environné de collines boisées portant une double dénomination bretonne assez curieuse. Une partie s'appelle Coat-an-Noaz (le Bois de la nuit) et l'autre moitié Coat-an-Hay (le Bois du jour). Parallèlement, on raconte qu'il a existé deux saints Envel, frères jumeaux qui ont vécu chacun dans une forêt. Les druides étant connus pour avoir un respect particulier envers les jumeaux, la légende pourrait remonter à un passé préchrétien.

La seule curiosité qui mérite plus qu'un simple regard sur la route du retour à Guingamp est la colline surnommée Menez-Bré ; bien qu'elle ne dépasse guère 300 m, elle représente pourtant le point culminant de la Bretagne du Nord, dominant toute la campagne environnante. (*Menez,* apparenté au gallois *mynydd,* est tout simplement le mot breton signifiant montagne.) Sur son sommet dénué d'arbres, sillonné l'été par les adeptes du moto-cross, se trouve la petite chapelle Saint-Hervé, toute simple. Autrefois, s'y célébrait une messe de requiem, connue sous le nom de *ofern drantel* (la trentième messe, dernière d'une série consacrée aux âmes des morts), qui avait pour but de décourager la foule de démons cherchant à saisir dans leurs griffes l'âme du dernier mort. Le prêtre célébrant la messe devait être nu-pieds et réciter l'office à l'envers, il devait ensuite donner une graine de lin à chaque démon, seule condition, selon la légende, pour que « les démons acceptent de partir les mains vides ».

Sculptures ornant le jubé du XVIe siècle de la chapelle de Locmaria au sommet d'une colline à Belle-Isle-en-Terre.

N
Ile de Batz
Roscoff
Saint-Pol-de-Léon
Plouescat
Sibiril
Carantec
Côtes des Abers
Plouguerneau
Aber Wrac'h
Lesneven
Kerjean
Portsall
Le Folgoët
Lanhouarneau
Morlaix
Ploudalmézeau
Aber Benoît
Ile d'Ouessant
Finistère
Saint-Thégonnec
Pleyber-Christ
Lampaul-
Guimiliau
Guimiliau
Saint-Eloi
Elorn
Dossen
Queffleuth
Plouarzel
Penfeld
Landerneau
Saint-Sauveur
Ile Molène
La Martyre
Ildut
Penzé
Brest
Le Conquet
Commana
Sizun
Monts d'Arrée
Mougau Bihan
Plougastel-
Daoulas
Rade
de
Brest
Roc Trévézel
Berrien
Daoulas
Pointe de
Saint-Mathieu
Parc Naturel Régional d'Armorique
Goulet de Brest
Montagne
Saint-Michel
Huelgoat
Saint-Herbot
Brasparts
Crozon
Carhaix-Plouguer
Quimper
0
10
20 km

3
Le Finistère-Nord

Morlaix — Huelgoat — Sizun — Landerneau — Brest

le d'Ouessant — Roscoff

Morlaix est la principale ville de la partie nord du Finistère. Bâtie sur le Dossen, ou rivière de Morlaix, elle est assez riche en maisons à colombage pour rappeler aux visiteurs la prospérité dont elle jouissait aux XVe et XVIe siècles. Son trait le plus caractéristique est le viaduc aux arches majestueuses construit dans les années 1860 pour le passage de la voie ferrée Paris-Brest. Haut de 58 m, il enjambe la vallée, coupant nettement la ville en deux parties : la partie haute, tournée vers l'intérieur et la partie basse, la rivière avec ses quais bordés de maisons du XVIIIe siècle et récemment transformés en marina.

Le nom breton de la ville est Montroulez ; son nom français a donné lieu au calembour devenu devise : S'ils te mordent, mords-les. Cette phrase a pour origine une incursion des Anglais dans la ville en 1522, en représailles d'une attaque des corsaires morlaisiens contre Bristol. Les troupes anglaises trouvèrent la ville sans défense, la plupart des habitants s'étant rendus à une fête à l'extérieur. Les assaillants, après s'être livrés au pillage, s'enivrèrent stupidement dans les celliers. A leur retour, les Bretons massacrèrent les intrus incapables de riposter. C'est ainsi, dit-on, que l'eau de la fontaine coula rouge du sang anglais. Outre cette devise, les armes de Morlaix montrent le léopard français et le lion anglais dressés dans un face-à-face hostile.

A cette époque, Morlaix était devenu un port de première importance qui atteignit le plus haut point de sa prospérité entre le XVIe et le XVIIIe siècle. Il faisait du commerce avec le Portugal, l'Espagne, la Hollande ; on y construisait des navires, fabriquait des voiles et du drap fin, traitait et vendait du tabac et produisait de l'orfèvrerie ouvragée. Il donna également naissance à des générations de corsaires dont le plus valeureux fut Charles Cornic, né à Morlaix en 1731. Si vous parquez votre voiture au port (la meilleure place dans une ville qui n'a jamais été conçue pour la circulation d'aujourd'hui) et que vous marchez vers le centre de Morlaix sous le viaduc, vous vous trouverez face à un buste de Cornic tournant les yeux vers la marina où s'ancraient autrefois ses bâtiments corsaires.

Passé le viaduc, montez à gauche vers l'église Saint-Melaine qui se dresse à l'ombre des puissantes arches. C'est la plus ancienne de Morlaix, construite en gothique flamboyant à la fin du XVe siècle sur le site d'un prieuré du XIIe siècle. Elle a célébré son cinquième centenaire en 1989. A l'extérieur, au-dessus du porche principal, des anges sculptés tiennent une banderole effacée, sur laquelle on peut facilement lire la date de fondation, 1489, écrite dans l'orthographe et l'écriture cursive du Moyen Age : *L'An Mil Quatre Cents Quatre Vingnts Neuff.* Saint Mélaine, son dédicataire, était évêque de Rennes au VIe siècle. A l'intérieur, la voûte est ornée de sablières où sont sculptés et peints en couleurs vives toutes sortes de motifs humains et animaux.

De Saint-Mélaine, montez les marches de l'abrupte et étroite venelle aux Prêtres bordée d'anciennes maisons de granit, puis passez sous le haut des arches du viaduc — à portée de la main à cet endroit — pour gagner l'esplanade du Calvaire, plantée d'arbres, qui offre un panorama sur la vallée et l'autre côté de la ville. Quand on construisit le viaduc, le port arrivait à sa base, couvrant les emplacements du jardin public et du parking actuels aménagés sur un terrain amendé. Vers la fin de la Seconde Guerre mondiale, l'aviation alliée bombarda le viaduc, l'endommageant sérieusement et, du même coup, atteignit une école élémentaire, tuant une classe de 39 enfants avec leur maître.

Un sentier en hauteur vous mène par des lacets à la fontaine des Carmélites, un des plus jolis coins de Morlaix. La Source, protégée par des arcs géminés, coule aux portes d'un couvent encore occupé par des Carmélites. La petite chapelle qui lui fait suite possède une gracieuse rosace, maintenant murée.

Plusieurs venelles redescendent jusqu'aux parties basses de la ville. Près de la large place des Jacobins, le musée des Jacobins est logé dans une église médiévale peinte en blanc, celle d'un ancien prieuré de jacobins (nom donné autrefois aux dominicains). Eclairées en partie par une magnifique rosace du XVe siècle, les collections présentent tous les aspects de la vie quotidienne dans le nord du Finistère — qu'on appelait Léon — de l'archéologie à l'agriculture, et de la construction navale à l'art religieux. Tout près, sur la place Allende (précédemment place des Halles) et dans la Grand' Rue piétonne, on trouve quelques-unes des plus belles maisons médiévales de marchands que possède la ville, certaines décorées de sculptures religieuses ou grotesques.

Un dominicain de Morlaix qui laissa une grande réputation, le père Albert Le Grand, écrivit des milliers de biographies de saints bretons. Né vers la fin du XVIe siècle, il acheva en 1636 ses *Vies de saints de la Bretagne-Armorique,* devenu le livre de référence sur les à-côtés de la foi bretonne. Il est écrit dans la préface : « J'interdis formellement la lecture de ce livre aux athées, libres-penseurs, agnostiques, hérétiques et aux prétentieux qui mesurent la puissance de Dieu à l'aune de leur cervelle désaccordée. » Après un tel avertissement, on pourrait penser que les *Vies* de Le Grand ne sont rien que platitudes religieuses mais, en réalité, elles sont très intéressantes à lire. Malheureusement, il ne jouit pas très longtemps de son succès, car il mourut au début des années 1640, après avoir revu et complété son livre.

De Morlaix, prenez la D 769 vers le sud dans la direction de Carhaix-Plouguer. C'est une des routes les plus charmantes de Bretagne, longeant d'abord la vallée boisée du Queffleuth (un des deux ruisseaux qui se rejoignent à Morlaix), puis grimpant en pleine campagne, dans un paysage de bruyères et d'ajoncs caressé par la brise. Autre avantage, vous ne rencontrerez guère de voitures, car la route ne mène réellement nulle part. Dans le joli village aux maisons de pierre de Berrien, quittez la route pour celle de Huelgoat. Berrien est à la limite nord du Parc naturel régional d'Armorique qui englobe les collines du Finistère central avec des pointes dans la presqu'île du Crozon et l'île d'Ouessant. Les parcs naturels régionaux de France sont des espaces de caractère exceptionnel, souvent sous-développés en comparaison des zones voisines, qui font l'objet d'une surveillance et de soins attentifs visant à leur éviter les enjolivements des réserves à touristes aussi bien que la dégradation en brousse sauvage.

La ville campagnarde de Huelgoat, avec sa large rue principale bordée d'arbres est la petite métropole du Parc d'Armorique. Elle domine un lac dont les rives ont été civilisées par un éparpillement de petites résidences blanches pour les vacances. Elle fut auparavant un centre d'extraction du plomb, elle est devenue à l'heure actuelle une ville rurale ; la dernière fois que j'y suis venu, une file de puissants chevaux, des traits bretons, bloquaient tranquillement la circulation sur la place. L'église abrite une statue de saint Yves de Tréguier, représenté comme d'habitude entre un riche et un pauvre.

Yachts à l'ancre dans la marina de Morlaix. A l'arrière-plan, le bâtiment classique de la Manufacture de tabac de la ville, fondée au XVIIIe siècle, quand Morlaix était au sommet de sa prospérité.

1928
BAGARREUR
MX

A l'est de la ville est aménagé un des sites les plus pittoresques de Bretagne — un fouillis de rochers, de ruisseaux au flot rapide, de bois, avec des promenades fléchées pouvant durer d'une demi-heure à trois heures. Les dénominations donnent une idée juste du décor : chaos, rocher tremblant, grotte du diable, allée du clair ruisseau. Vers le nord, l'impressionnant camp d'Artus n'a de lien avec le roi Arthur que par la légende, car il s'agit en fait d'une place fortifiée gallo-romaine, probablement du Ier siècle.

Quittez Huelgoat par le sud et prenez la D 14, une route accidentée où alternent landes et vallées boisées et qui offre des points de vue sur la lointaine face occidentale des Monts d'Arrée, les plus hautes collines de Bretagne. On ne jouira peut-être pas longtemps encore de ces panoramas, car une bonne partie de la campagne nue a été plantée de jeunes conifères qui finiront par faire des collines arides du Finistère une Forêt Noire miniature, sans autre vue que celle d'une obscure pinède sans fin.

Le village de Saint-Herbot, à 7 km de Huelgoat, possède une chapelle gothique du XVIe siècle d'une taille et d'un raffinement inhabituels. Herbot est le saint patron des animaux à cornes, dont les éleveurs s'assurent la protection pour l'année à venir en déposant sur les deux autels de l'intérieur des touffes de poil de leurs bestiaux.

Faites encore 13 km, tournez à droite sur la D 785 en direction de Morlaix. Le premier village rencontré, Brasparts, à la limite sud du Parc naturel régional, possède un superbe enclos paroissial du XVIe siècle. Les enclos de ce genre sont spécifiques au Finistère. Sous leur forme la plus développée, ils sont constitués de quatre éléments de base : une église paroissiale, un arc triomphal impressionnant à l'entrée du cimetière, un ossuaire ou chapelle funéraire où sont entassés les os des morts, et un calvaire surmonté d'un groupe sculpté représentant la Crucifixion et souvent orné de scènes de la vie du Christ. Ces ensembles, exécutés dans une période allant de 1450 à 1700, sont des œuvres composites d'art religieux dues aux meilleurs architectes, sculpteurs sur pierre et sur bois et peintres bretons de leur époque.

Au premier plan, la tour-campanile, décorée de l'église Saint-Mélaine (XVe siècle). Derrière, le viaduc du XIXe siècle, où le train file au-dessus de Morlaix..

Effrayante tête d'animal tenant dans sa gueule un entrait supportant la voûte peinte de l'église de Saint-Mélaine.

Bonaparte n'a pas d'arc de triomphe, mais les trois éléments principaux sont présents. Sur le calvaire est sculptée une pietà pleine de tendresse composée de trois personnages affligés soutenant le Christ mort. L'ossuaire, aujourd'hui utilisé comme office de tourisme pendant l'été, est mis en valeur par une sculpture d'Ankou, squelette personnifiant la Mort chez les Bretons. L'église s'ouvre au sud par un porche surmonté d'un pinacle imposant et flanqué de statues des apôtres.

Au nord de Brasparts, une piste goudronnée monte à la montagne Saint-Michel qui, avec ses 380 m, est presque le point culminant de la Bretagne (le Roch' de Trévezel, crête épineuse à 10 km au nord, est plus haut de quelques

Construction de l'âge de pierre dans le hameau de Mougau-Bihan, près de Commana. Bel exemple d'allée couverte, probablement dressée autour de 2500 av. J.-C.

mètres). Son sommet est couronné par une chapelle dédiée à saint Michel, le saint patron de tous les lieux élevés. Bien que vide et nue, elle a cependant été remise en état ces dernières années. La première fois que je l'ai vue, autour de 1970, les portes claquaient au vent, il manquait des ardoises au toit, et le sol servait de dépotoir. Par temps clair, la vue qu'on a du sommet est impressionnante : elle embrasse, au nord et au sud, une région de landes et de rochers, à l'ouest, elle s'étend vers les eaux lointaines de la rade de Brest et à l'est, elle passe au-dessus d'un marais pour aboutir au grand lac de barrage de la centrale nucléaire de Brennilis, dont les gros blocs se dressent sur sa rive la plus éloignée. Après la montagne Saint-Michel, continuez au nord et tournez au bout de 5 km pour atteindre le village de Commana, qui vous offre un bel exemple d'enclos paroissial au complet. Mais avant d'aller le voir, mettez-vous en quête du hameau de Mougau Bihan aux abords duquel se cache un des plus beaux vestiges de l'âge de pierre en Bretagne. Cette « allée couverte », qui probablement date de 2500 av. J.-C., consiste en deux rangées de rochers verticaux supportant des blocs géants placés en travers, ce qui forme un couloir étroit. Certaines de ces pierres sont gravées de dessins symboliques, difficiles à distinguer, mais que l'on a interprétés comme des haches, des javelots et les seins d'une déesse des funérailles. Lors de leur agencement, ces blocs auraient été couverts de terre et de gazon pour constituer un grand tumulus.

L'église de Commana, bâtie en granit gris, est d'une taille et d'une magnificence inattendues dans un si petit village ; mais elle date d'une époque où cette région de Bretagne était beaucoup plus prospère qu'aujourd'hui. Les propriétaires fonciers s'y enrichissaient des profits qu'ils tiraient du lin et du chanvre dont on tissait des étoffes, vendues ensuite dans toute l'Europe, ou qu'on utilisait dans tout le pays à confectionner des voiles pour la marine française. La grande flèche de l'église, construite vers 1590, haute de 57 m, est un des repères qui situent les monts d'Arrée. Le porche d'entrée méridional offre une adaptation rustique du style Renaissance, avec les colonnes qui le flanquent et son fronton brisé. La niche la plus haute abrite une statue de saint Derrien, saint patron de la paroisse.

Le principal trésor de l'église est le retable de sainte Anne, mère de la Vierge Marie, sculpture sur bois, d'un baroque échevelé avec ses couleurs et ses dorures, datant de 1682. Dans le panneau central, la Vierge et sainte Anne contemplent, assises, l'enfant Jésus debout, entre des colonnes décorées de vignes grimpantes. Saints, chérubins, guirlandes de fruits ajoutent à l'impression d'ensemble de folle exubérance. Le curé d'alors, « Messire Yves Messager », a laissé son nom en évidence sur le retable, dont on ne connaît pas l'auteur. Un guide de

A 380 m au-dessus du niveau de la mer, la montagne Saint-Michel couverte de bruyères sauvages, est presque le point culminant de la Bretagne. Elle est couronnée d'une chapelle de saint Michel, le saint patron des hauteurs.

Commana avance l'hypothèse vraisemblable que c'était un maître artisan venu des chantiers navals de Brest, formé à la sculpture de figures de proue et d'autres ornements de bois pour les vaisseaux de guerre de Louis XIV.

De Commana, vous pouvez continuer plein ouest par la D 764 jusqu'à Sizun, autre petite ville dotée d'un remarquable enclos paroissial. Mais les trois plus beaux de la région, groupés et fléchés comme appartenant au Circuit des trois enclos, se trouvent à 3 km au nord de Commana et il ne faut pas les manquer. Aussi revenez d'abord à la D 785, direction nord. Arrivé à Pleyber-Christ, mettez le cap à l'ouest sur la D 712.

Saint-Thégonnec, le plus à l'est des trois représente l'apogée de cette tradition ; il est de conception beaucoup plus importante que les enclos que nous avons vus jusqu'ici. L'arc de triomphe, dressé sur des piliers massifs, est le plus ancien élément de l'ensemble, construit vers 590. La chapelle funéraire est aussi grande et aussi décorée que bien des églises de village. Bâtie un siècle après l'arc, mais toujours en style Renaissance, elle présente sur sa façade principale une double rangée de pilastres encadrant des fenêtres au rez-de-chaussée, des niches en forme de coquille à l'étage. L'ossuaire contient une mise au tombeau très réaliste, en chêne sculpté et peint datant d'environ 1700, avec des saints grandeur nature autour du corps du Christ.

L'église, majestueuse, est flanquée d'une tour Renaissance couronnée par un dôme à lanternon et à clochetons d'angles. Le corps du bâtiment ne fut achevé qu'au cours du XVIIIe siècle. Parmi ses trésors, on peut admirer la chaire à l'escalier sculpté d'un tourbillon d'anges et de figures allégoriques, les stalles compliquées du chœur et le haut autel d'un baroque foisonnant.

Le calvaire en granit de Saint-Thégonnec fascine par son mélange d'émotion et de traits grotesques. Les personnages du Christ, des deux larrons et de la douloureuse Marie se dressent sur de hautes colonnes érigées sur un socle. Au-dessous d'eux, sont sculptées des scènes de la Passion — le Christ flagellé, Ponce-Pilate se lavant les mains — qui ressemblent plus à des caricatures en trois dimensions qu'à des essais de portraits réalistes. L'un des bourreaux du Christ serait Henri IV, dont la conversion au christianisme, en 1593, accompagnée du mot fameux « Paris vaut bien une messe », était pure hypocrisie aux yeux des Bretons profondément croyants. Il est à supposer qu'Henri IV est le personnage moustachu et grimaçant, vêtu d'un haut-de-chausses et d'un pourpoint à franges, qui tire le bout d'une corde passée autour des poignets de Jésus.

Quant à Thégonnec, c'est un obscur personnage du Ve siècle, décrit par un chroniqueur comme un saint « dont les actes n'ont laissé aucune trace ». La statue placée au bas du calvaire le représente avec une charrette tirée par un

Figure de saint, détail du retable de sainte Anne, à peintures et dorures magnifiques dans l'église de Commana (XVIIe siècle).

Intérieur de l'église de Guimiliau. L'orgue et le dais couvrant les fonts baptismaux sont tous les deux décorés d'une foison de sculptures sur bois datant des années 1670.

Enclos paroissial de Saint-Thégonnec, bel exemple de ce type de complexe architectural qu'on ne trouve que dans le Finistère. Les enclos de ce genre comprennent un arc de triomphe à l'entrée, un calvaire sculpté de scènes de la Crucifixion, un ossuaire ou chapelle mortuaire rassemblant les os des morts.

Détails d'enclos paroissiaux du Finistère. EN HAUT, À GAUCHE, *le Christ ligoté du calvaire de Saint-Thégonnec.* EN HAUT, À DROITE, *l'Ankou (représentation bretonne de la Mort) de l'église de La Martyre.* EN BAS, À GAUCHE, *la Pietà du calvaire de Brasparts.* EN BAS, À DROITE, *le Christ lavant les pieds des apôtres, de Plougastel-Daoulas.*

cerf et un bœuf, allusion à la légende selon laquelle il construisit la première église de Thégonnec avec des pierres qu'il extrayait et descendait lui-même des collines. Guimiliau, au centre des trois enclos, présente tous les éléments dont se compose un enclos, avec une perfection que n'atteint aucun autre en Bretagne. L'église, à laquelle on accède par un arc de triomphe de forme simple, est d'une stupéfiante richesse décorative à l'extérieur et surtout à l'intérieur. Construite au début du XVIIe siècle, elle possède un porche remarquable dont les voussures sont sculptées de scènes de la Bible et les côtés ornés de statues de saints aux couleurs vives. L'intérieur foisonne en retables sculptés et peints, en statues et autres œuvres de bois. L'église possède aussi un orgue du facteur anglais Thomas Dallam, qui exerçait en Bretagne au milieu du XVIIe siècle. Mais le chef-d'œuvre de Guimiliau est son calvaire du XVIe siècle. Construit sur un plan horizontal en *X* pour donner plus de place aux créations des sculpteurs, il porte une double rangée de plus de deux cents figures originaires de la Bible et des légendes bretonnes.

Malgré les quatre siècles d'existence du calvaire, son dur granit a peu souffert de ces centaines d'hiver et des milliers de trombes d'eau, si ce n'est qu'il a pris les taches et les lichens de la vieillesse. Parmi les figures des disciples et de la Sainte Famille, on remarque une sculpture incongrue, celle des trois Saintes Femmes penchées sur la Mise au tombeau : celle de droite, habillée dans les moindres détails comme une dame de la cour du XVIe siècle passe pour être Mary, reine d'Ecosse, qui fut exécutée en 1587, date approximative de l'érection du calvaire. Si c'est vraiment une œuvre commémorative en son honneur, on aurait peine à imaginer un plus gracieux hommage. En un autre point du monument, l'une des légendaires tentatrices de Bretagne est représentée dans une scène sinistre qui a certainement pour but de maintenir les filles de la paroisse dans le droit et étroit chemin : on y voit Katell Gollet (Catherine la damnée), célèbre pour son immoralité, traînée et poussée dans l'enfer, représenté ici par une gueule béante.

Guimiliau signifie : paroisse de saint Miliau, et nous retrouvons ce saint tout près, à Lampaul-Guimiliau, le troisième enclos du circuit. (L'autre moitié du nom veut dire : établissement religieux de saint Pol). Miliau était au VIe siècle un prince de Cornouaille (partie sud-ouest du Finistère), héritier du trône de son père et célèbre pour sa bienveillance. Au cours d'une querelle à propos de la succession, son frère lui coupa la tête ; Miliau la ramassa, tandis que le sang sortait en bouillonnant de son cou tranché. Sur la foi de ce miracle macabre, il fut révéré comme un martyr et canonisé.

Le trait le plus notable de l'église de Lampaul-Guimiliau est sa curieuse flèche étêtée, qui avait 70 m de haut à sa construction, mais qui fut sciée par la foudre. L'arc triomphal, l'ossuaire et le calvaire sont simples en comparaison de ceux qu'on trouve ailleurs ; mais l'église mérite d'être visitée pour sa profusion de magnifiques sculptures sur bois. La poutre de gloire du XVIe siècle, surmontée d'une Crucifixion peinte, est sculptée d'une frise peinte représentant la Passion à la manière d'une bande dessinée pleine de mouvement. Les stalles du chœur ont des bras ornés de monstres marins à la gueule béante. L'église possède plusieurs autels et retables raffinés, et aussi les portraits des deux saints qui ont donné leur nom au village. Dans l'ossuaire, une statue peinte de saint Pol le montre menant un dragon qu'il a apprivoisé au moyen d'une étole attachée à son cou. Sur le panneau d'un autel de l'église, saint Miliau apparaît dans des atours princiers, sa tête à la main, tandis que son méchant frère, équipé de bottes, éperons et chapeau à cornes, rengaine son épée, prêt à fuir sur un cheval blanc.

Si vous n'avez pas votre content d'enclos paroissiaux, prenez au sud sur la D 11 vers Sizun, en tournant à droite dans le village de Saint-Sauveur. La très haute flèche de Sizun, qui s'élève à 60 m, se voit à plusieurs kilomètres de distance. Datant d'environ 1730, elle est beaucoup plus tardive que les autres éléments de l'ensemble. Le triple arc triomphal, unique en son genre, construit vers 1580, comme l'ossuaire, est de conception extrêmement classique, avec sa rangée de saints barbus remplissant les niches en haut de la façade. On a fait de l'ossuaire un petit

La poutre de gloire du XVIe siècle dans l'église de Lampaul-Guimiliau est décorée de scènes de la Passion peintes en couleurs vives.

musée de meubles bretons, tels que le lit clos. L'intérieur de l'église est l'un des plus exubérants de Bretagne par les vives couleurs et les dorures de ses statues, autels et retables. L'orgue est d'une beauté exceptionnelle, comme sa galerie avec balustrade en trompe l'œil.

A la fin de cette quête zigzagante à travers le Finistère, on arrive enfin à mon enclos paroissial préféré, La Martyre, sur un chemin à l'écart de la D 764. C'est l'un des plus anciens datant en grande partie du milieu du XVe siècle. Il a une beauté que les outrages du temps rendent beaucoup plus émouvante que l'aspect léché d'autres ensembles plus tardifs et mieux conservés. Son bon génie est un Hollandais, Fons De Kort, qui habite une maison ancienne près de l'église et qui consacre la moitié de son temps à démêler les mystères architecturaux et historiques de La Martyre.

Son nom proviendrait du martyre de Salomon ou Salaün, roi de Bretagne du IXe siècle qui, en 857, s'empara du trône en assassinant son cousin Erispoë. Après un règne de quinze ans, il se retira dans un ermitage de la forêt où il fut traqué par les partisans d'Erispoë. Faisant irruption dans l'église où il était en prières, ils poignardèrent son jeune fils sous ses yeux, puis ils aveuglèrent Salomon et le décapitèrent. Bien que sa vie n'ait guère été celle d'un saint, il fut canonisé peu de temps après sa mort et, par la suite, révéré dans toute la Bretagne comme l'un de ses plus grands chefs. La Martyre fut, dès le début du Moyen Age, un lieu de culte reconnu, et sa tour peut remonter au XIe siècle. Au XVe siècle, c'était le siège d'une importante foire annuelle qui attirait des marchands de toute l'Europe et apportait assez de richesse à la petite ville pour lui permettre de financer de vastes constructions.

Ce qui frappe à La Martyre, ce n'est pas tant la vue d'ensemble de l'église et des constructions environnantes — que leur imbrication rend difficiles à apprécier comme un tout — que le détail, et en particulier le porche de l'église et l'ossuaire qui se tiennent côte à côte à l'entrée principale. Le porche méridional de La Martyre est l'une des merveilles de la Bretagne. Sculpté d'anges, de paysans et d'armoiries, il est couronné par une tendre Nativité qui, malgré les mutilations qu'elle a subies, reste une belle et touchante œuvre d'art. A l'origine, on voyait la Vierge les seins nus, allaitant son enfant mais plus tard, l'enfant et les seins ont été tailladés — peut-être par quelques ecclésiastiques puritains — et la Vierge ne tient plus maintenant dans ses bras que le vide de la pierre bûchée.

Les deux côtés du porche sont couverts de croquis réalistes de la vie bretonne ; ainsi, des paysans encapuchonnés jouant à la crosse (sorte de croquet ou de golf primitif), tandis qu'un ange, au-dessus de leur tête, annonce la Nativité. Fons De Kort a trouvé çà et là sur les sculptures des traces de peinture, ce qui montre que le porche entier a dû être autrefois enluminé comme un manuscrit médiéval. Comme toujours en Bretagne, la Mort est présentée sous l'aspect de l'Ankou, squelette tenant une tête, sculpté au-dessus du bénitier. Sous le plafond, les sablières sont ornées de charmantes vignettes représentant des joueurs de cornemuse, une charrue tirée par un attelage de chevaux et de bœufs, et des scènes de la Nativité.

Près du porche, et faisant écho à sa forme Renaissance du début du XVIIe siècle, on trouve l'ossuaire peint à l'origine en bleu et or. Au-dessus de la porte, des anges tiennent des banderoles, avec cette macabre inscription en breton : « Mort, jugement dernier, froid de l'enfer, tout homme doit trembler à leur pensée. Insensé est celui qui n'en fait pas l'objet de sa méditation, sachant qu'il doit mourir. » Curieusement, une cariatide à l'aspect égyptien soutient l'angle.

Au cours des quinze dernières années, j'ai eu quatre fois l'occasion de me rendre à La Martyre et, chaque fois, j'ai été frappé par le délabrement de l'église malgré les restaurations, de portée limitée, dont elle faisait l'objet. Lors de ma dernière visite, on avait enjolivé la rue du village en remplaçant son macadam par un revêtement régulier de pierres et de briques ; il aurait sûrement beaucoup mieux valu dépenser cet argent pour l'église que pour une rue dont l'embellissement était parfaitement superflu. On me dit dans un café que le maire du village avait fait exécuter ces travaux pour ne pas être en reste par rapport à celui de Locronan qui venait de refaire les rues de sa petite ville, mais ce ne sont peut-être là que des ragots de café.

L'extraordinaire pont de Rohan, sur l'Elorn avec ses maisons du XVIe siècle, dans le centre de Landerneau.

Bar

De La Martyre, continuez à l'ouest vers Landerneau, vaste ville fluviale, située au point où l'estuaire de l'Elorn se rétrécit assez pour y jeter un pont. Pendant des siècles, Landerneau fut un port et un centre de commerce important, tout comme la capitale du Léon. Ses relations commerciales au Moyen Age avec l'Angleterre sont évoquées par la dédicace à saint Thomas de Canterbury (Thomas Becket) de l'église implantée au sud de la rivière. Il est certain que les marchands d'étoffe anglais, faisant le tour des foires de centres tels que La Martyre, choisissaient Landerneau pour quartier général. Son ancien pont, le pont de Rohan, relie deux évêchés, le Léon au nord et la Cornouaille au sud. Contrairement à l'usage, les maisons construites sur ce pont au XVIe siècle n'ont jamais été démolies pour faciliter la circulation moderne. L'expression traditionnelle « ça fera du bruit dans le Landerneau » vient de la coutume locale de faire du vacarme devant la maison de toute veuve ayant décidé de se remarier.

De Landerneau, gagnez Daoulas, au sud, par la D 770, jolie route traversant de grands espaces accidentés. Daoulas a quelque chose d'un trésor oublié, que laisse à l'écart l'autoroute Quimper-Brest. Une route en pente, la rue de l'Eglise, vous mène, entre des maisons de granit, à l'église d'une abbaye romane, au sommet de la colline. On y accède par un curieux arc triomphal intégré à un clocher où sont suspendues deux grosses cloches. Il subsiste encore une bonne partie du cloître du XIIe siècle, où des fouilles sont en cours. Quand j'y suis allé, un archéologue venait de déterrer un squelette du XVIIe siècle sous le sol de ce cloître. Ailleurs, dans les jardins, on voit une belle fontaine et un petit oratoire dont l'autel est daté de 1737. Les arbres, comme les plantes du jardin médicinal, portent une étiquette donnant leurs noms en latin, en français et en breton.

Comme Landerneau, Daoulas fut au Moyen Age un centre de commerce des étoffes. Le nom de daoulas ou doullens était donné à une sorte de tissu grossier très utilisé aux XVIe et XVIIe siècles. Le terme était bien connu de Shakespeare : dans *Henry IV*, Ire partie, acte III, scène 3 quand Mrs Quickly dit à Falstaff qu'il lui doit de l'argent pour les chemises qu'elle lui a achetées, il répond : « Dowlas, filthy dowlas : I have given them away to baker's wifes, and they have made bolters of them. » (« Du daoulas, une saleté de daoulas ; je les ai données à des femmes de boulangers et elles en ont fait des tamis. ») Le père de Shakespeare, qui était fabricant de gants et probablement dans le commerce des étoffes, a pu aller à la foire de La Martyre pour acheter ses matériaux bruts.

De Daoulas, dirigez-vous vers l'ouest en prenant la route de Brest, la N 165 ; quittez-la après 15 km pour Plougastel-Daoulas. A l'extérieur de l'église, au centre de la petite ville, on trouve le plus beau calvaire de Bretagne, érigé vers 1600 après une épidémie de peste. Il comporte plus de figures qu'aucun autre, à l'exception de celui de Guimiliau, dont il a sans doute tiré son inspiration. Comme à Guimiliau, on peut voir la représentation de Katell Gollet traînée en enfer. Parmi les saints, Roch et Sébastien, qui protègent des épidémies, ont été placés sur le calvaire comme une sauvegarde contre l'éventualité de la peste. La presqu'île sur laquelle est construit Plougastel-Daoulas jouit d'un climat exceptionnellement doux ; c'est le principal centre de production de fraises en Bretagne, culture importée vers la fin du XVIIIe.

La N 165 qui mène à Brest traverse l'Elorn sur un pont splendide d'où l'on a des vues magnifiques et contrastées, en amont, sur la verte vallée de l'estuaire, et en aval, sur les grues et les gratte-ciel du plus grand port maritime de la moitié nord de la France. Mais le regard est d'abord capté par la forêt de mâts du port de plaisance, au premier plan et, derrière eux, par la blanche pyramide tronquée d'un bâtiment moderne d'allure futuriste.

Avant de braver les flots de la circulation dans le centre-ville, quittez la route principale pour Océanopolis, comme on appelle cette construction. Occupant un terrain gagné sur la mer derrière le port de plaisance, elle a pour vocation d'expliquer le monde de la mer aux gens de Brest et des alentours qui ont sans aucun doute un besoin plus grand de ces explications que leurs ancêtres marins. Derrière de larges panneaux de verre, vous pouvez gouver-

Le calvaire de Plougastel-Daoulas, un des plus beaux de Bretagne. Il fut sculpté vers 1600, comme ex-voto à la fin d'une épidémie de peste. Il compte environ cent cinquante personnages.

CCI BREST
SILOS PORTUAIRES
REEFER DOLPHIN
BR 291629

ner une flotte miniature par commande à distance, écouter les cris et les grondements des dauphins et des baleines, regarder des expositions montrant la vie de la mer sur la côte bretonne ou simplement vous amuser du spectacle de douzaines de familles brestoises prenant du bon temps dans un environnement qui allie la haute technologie et l'imagination.

Océanopolis date de 1990 ; mais l'histoire de Brest remonte deux millénaires au-delà. La rade de Brest est l'un des plus beaux forts naturels d'Europe, s'étendant de l'estuaire de l'Elorn aux passes faciles à défendre du goulet de Brest, large seulement de 2 km et abrité des houles de l'Atlantique par les trois pointes de la presqu'île de Crozon. Brest s'est développé le long des rives de l'étroite Penfeld, protégé par l'éperon sur lequel est bâti le château. C'était certainement un centre maritime à l'époque préromaine. Fortifié par les Romains, on se le disputa souvent au Moyen Age. Il commença à prendre son style moderne sous Louis XIV, au XVIIe siècle, quand il devint le premier port de la Marine nationale. Il atteignit l'apogée de sa prospérité avec l'avènement du chemin de fer et des bateaux à vapeur au XIXe siècle, s'étendant le long de la rade, depuis les rives de la Penfeld à l'est et à l'ouest, le long de la rade.

Pendant la Seconde Guerre mondiale, la ville de Brest fut presque totalement anéantie, d'abord par les bombardements alliés, mais surtout lors de la Libération, en 1944, quand les Allemands mirent en place des installations de dernière défense et ne furent vaincus qu'après une résistance de six semaines, suivie d'une sauvage bataille de rues, maison après maison. C'est maintenant, de fait, une ville d'après-guerre, aux larges avenues bordées de constructions blanches en béton. Néanmoins, elle mérite mieux qu'un regard rapide, car elle est aussi représentative de la nouvelle Bretagne tournée vers l'avenir que des villes comme Morlaix le sont du passé historique.

Pour voir ce qui reste du vieux Brest, le mieux est de gagner l'imposant pont de Recouvrance sur la Penfeld, le plus grand pont-levant d'Europe avec ses quatre pylônes en forme de H auxquels est suspendue la travée centrale. En amont, l'arsenal maritime s'étend des deux côtés de la rivière. Son accès n'est autorisé qu'aux citoyens français. En aval, sur la droite, on aperçoit la tour Tanguy, construction médiévale servant aujourd'hui de petit musée et, sur la gauche, le château qui, en tant que seul survivant des grands monuments historiques, est le plus intéressant point de départ d'une exploration de la ville.

Le château est un grand ensemble de bâtiments sortant véritablement de l'eau, avec de larges terrasses panoramiques séparant les divers niveaux de fortification. Il est occupé en grande partie par la Préfecture maritime, mais plusieurs de ses massives tours du Moyen Age (tour Madeleine, tour de Paradis, tour de la duchesse Anne) sont consacrées aux collections du Musée maritime. Elles conservent un certain nombre de modèles de bateaux, figures de proue, dessins et plans de Brest du temps de Louis XIV et portraits d'amiraux oubliés depuis longtemps. Les terrasses entre les tours nous offrent des panoramas vastes et variés sur la rade. Une note moderne inattendue est la présence d'une coque de bateau de 10 m de long ayant amené jusqu'à quarante chargements de boat-people du Vietnam en 1988.

A partir du château, vous pouvez faire un circuit agréable, en suivant le cours Dajot, esplanade ombragée qui surplombe le port de commerce. A un bout du cours se trouve un petit jardin implanté en l'honneur de la victoire française sur les Anglais lors de la guerre d'Indépendance américaine de 1780-81 ; à l'autre bout, on peut voir un obélisque de haute taille en granit rose célébrant les hauts faits des marines américaine et française au cours de la Première Guerre mondiale.

De l'esplanade, pénétrez à l'intérieur en traversant la vaste place John-Kennedy pour vous rendre à la place de la Liberté, en haut de la ville. De là part la rue de Siam, colonne vertébrale de Brest, qui ramène en descendant la colline en ligne droite, au pont de Recouvrance et au château. Autrefois appelée rue Saint-Pierre, elle a reçu son nom actuel, à consonance exotique, en 1686, quand les ambassadeurs de la cour du Siam débarquèrent à Brest avant de poursuivre leur route pour aller rencontrer Louis XIV. La rue de Siam, partiellement piétonnière, est le lieu

Grues et docks alignés sur le port commercial de Brest, centre maritime depuis l'époque préromaine.

de rendez-vous de tous les excentriques que compte Brest. La dernière fois que je l'ai arpentée, une jeune Anglaise était en train de faire une conférence à tout Brest sur son besoin de retrouver Dieu, chaque phrase étant traduite en français par son compagnon à la voix de stentor, mais les Brestois n'y prêtaient guère attention.

La visite des ambassadeurs siamois, en même temps que d'autres événements importants de la ville, sont représentés au moyen d'un diorama dans la tour Tanguy, au toit conique, de l'autre côté du pont qui part du château. Construite au XVe siècle par Tanguy de Chastel, un des plus puissants Bretons de son époque, elle abrite maintenant un musée qui expose, entre autres, des maquettes du vieux Brest, une jolie collection de photographies anciennes et de remarquables gravures du XIXe siècle montrant des scènes de la vie des forçats. Pendant plus d'un siècle, à partir de 1750, une grande partie de la rive gauche de la Penfeld a été occupée par un énorme bagne où étaient incarcérés plus de deux mille forçats servant de main-d'œuvre pour les chantiers navals et autres travaux portuaires. Gustave Flaubert, qui a pu le voir aux environs de 1850, nous en a laissé cette sombre description « Toutes ces piles de canons, de boulets, d'ancres..., ces grands ateliers droits où grincent les machines, le bruit continuel des chaînes des forçats, qui passent en rang et travaillent en silence, tout ce mécanisme sombre, impitoyable, forcé, cet entassement de défiances organisées bien vite vous encombre l'âme d'ennui et lasse la vue. »

Si quelque bagnard arrivait à s'échapper, toute la région environnante était alors alertée par des coups de canon, origine de l'expression « Tonnerre de Brest ! » usitée pour les qualifier. Fuyant à travers une contrée hostile, facilement reconnaissable à ses pantalons jaunes et aux deux lettres T. F. (Travaux forcés), marquées au fer sur ses épaules, il était presque sûr d'être repris en moins de quelques heures. Au lieu des chiens policiers, l'administration carcérale utilisait des bohémiens qui connaissaient chaque pouce de terrain de la région et tiraient profit du succès de leur chasse aux prisonniers. Pour un bagnard, être repris signifiait un retour aux coups de fouet, aux fers et aux chaînes. En 1864, le bagne fut fermé et les détenus furent transférés à l'île du Diable, près de la côte de l'Amérique du Sud, où — à la différence de Brest — les brutalités qu'ils enduraient échappaient à la vue et même à l'imagination.

De Brest, prenez la D 789 qui vous mène à travers des banlieues interminables à la pointe la plus occidentale de la Bretagne. La pointe de Saint-Mathieu est le promontoire idéal pour sa position stratégique à l'entrée de la rade de Brest, et c'est un emplacement tout naturel pour un phare. Mais ce qui surprend, c'est de voir le phare apparaître au-dessus des ruines d'une abbaye médiévale et, sous certains angles, avoir l'air d'en percer les toits. La fondation de l'abbaye de Saint-Mathieu remonterait au VIe siècle. Selon la légende d'où l'abbaye tire son nom, des marins bretons rapportèrent d'Egypte le corps de saint Mathieu et construisirent une église pour l'y déposer. A certaine époque, le corps fut volé, mais le crâne fut rapporté en 1206 et l'abbaye devint alors un lieu de pèlerinage. Les moines gagnèrent de quoi subsister en maintenant une lampe éclairée sur le clocher de l'abbaye, ancêtre de l'actuel phare. Après la Révolution, l'abbaye fut abandonnée et ses bâtiments servirent de réserve de pierres ; ce qu'il en reste — notamment les arches élancées de la nef — suffit pour donner une idée de la gloire passée de l'abbaye de Saint-Mathieu, quand les moines chantaient l'office sur leur promontoire solitaire et que les grandes verrières de l'ouest reflétaient la lumière du soleil couchant sur la mer resplendissante.

De la terrasse du sommet du phare, on découvre un extraordinaire panorama s'étendant à l'ouest au-delà des récifs, jusqu'aux lointaines îles de Molène et d'Ouessant, au sud-est jusqu'à la côte déchiquetée de la presqu'île de Crozon, et, plein sud, jusqu'à la pointe du Raz. Directement en dessous, on peut voir, comme peut le faire une mouette, le toit délabré de l'abbaye. Un petit musée conserve quelques fragments de pierre sculptée en provenant et des documents relatifs à son histoire. Du côté de la mer est érigé un haut monument de granit sur lequel

Le pont de Recouvrance, à Brest, sur la Penfeld, est le plus grand pont-levant d'Europe. A gauche, on peut apercevoir le toit conique médiéval de la tour Tanguy, l'un des rares bâtiments anciens de la ville.

est sculptée une mère en deuil avec sa coiffe, en hommage aux marins bretons péris en mer au cours de la Première Guerre mondiale.

A 4 km au nord de Saint-Mathieu, Le Conquet, la ville la plus occidentale de la Bretagne, est le point de départ pour Ouessant. C'est un charmant petit port, sur la rive sud d'un tranquille estuaire, qui dispose d'une flottille de pêche vivant de la prise des homards et des langoustes. Malgré l'ancienneté de ses origines (son ancien nom breton est Konk-Léon (la crique de Léon), il ne reste pas grand-chose de la ville historique, dont l'essentiel a été incendié par les Anglais en 1558.

En dépit des transports modernes, Ouessant est encore un des coins de Bretagne les plus difficiles d'accès et les moins pollués de Bretagne. L'île est protégée des ravages du développement incontrôlé par son rattachement au Parc naturel régional de l'Armorique. Pendant toute l'année, deux petits mais puissants ferry-boats assurent, en une heure, le trajet de 20 km qui relie à travers les eaux les plus dangereuses d'Europe, Le Conquet à Ouessant. Plusieurs phares et des douzaines de balises colorées en noir et jaune signalent les récifs qui, à marée basse, percent la surface de la mer comme des chicots pourris et, à marée haute, sont cachés sous les eaux, prêts à déchirer la quille de n'importe quel navire essayant de naviguer au-dessus d'eux. Aux beaux jours d'été, quand le soleil étincelle sur l'eau et que le ressac clapote, la traversée paraît assez facile. Mais quand la tempête précipite avec violence les vagues à l'assaut des phares ou quand le brouillard arrive en nappes serrées de l'Atlantique, on comprend facilement pourquoi la mer qui entoure Ouessant fut pour des générations de marins un endroit terrifiant et le reste même encore à notre époque de navigation aidée par le radar.

L'île était bien connue des plus anciens géographes et navigateurs. Pythéas, le navigateur grec qui, vers 330 av. J.-C., parcourut les mers d'Europe occidentale, l'appela Ouxisame. Pline l'Ancien, auteur latin du Ier siècle après J.-C., lui donna le nom d'Axantos ; pour Ptolémée, un siècle plus tard, ce fut Uxantisima. Son nom breton, *Enez Eussa* (l'île d'Eussa) vient de Eus, le dieu celtique de la terreur ; une étymologie plus prosaïque le rattache à un mot de l'ancien celtique signifiant soit le plus éloigné, soit le plus haut. Les deux acceptions s'appliquent à Ouessant, la première comme point le plus occidental non seulement de la Bretagne, mais de toute la France, la seconde comme l'île de beaucoup la plus élevée du petit archipel dont elle fait partie.

La côte de l'île est visible pendant toute la traversée du Conquet à Ouessant. Elle est couronnée, en son point culminant, d'une tour-radar, ressemblant à un minaret, construite dans les années 1980, à la suite des catastrophes causées par les pétroliers, au large de la côte du Finistère. Le bateau vous débarque à Port Stiff dans la baie du Stiff, petite crique située en dessous de la tour-radar, où des dizaines de bicyclettes alignées sont à louer. La bicyclette est, à coup sûr, le meilleur moyen de locomotion pour explorer l'île, étant donné que, même si elle ne fait que 7 km de long sur 4 de large, les routes, souvent réduites à des pistes, n'établissent jamais la distance la plus courte d'un point à un autre. Il n'y a aucune possibilité de se perdre à Ouessant presque dénuée d'arbres avec toujours en vue un phare (parfois deux ou trois) qui vous permet de vous repérer.

L'un d'entre eux, le phare du Creac'h, est la principale attraction touristique de l'île. Le bâtiment, à sa base, abrite aujourd'hui un centre d'exposition consacré à expliquer le fonctionnement des phares, balises et signaux côtiers en général (Centre d'interprétation des phares et balises). Tout autour du hall, les facettes des lentilles rotatives du phare lancent des éclairs scintillant avec l'intensité de centaines de pointes de diamant comme un stroboscope illuminant quelque grande et silencieuse piste de danse. L'exposition, sur les murs en rond, montre l'évolution de la construction des phares depuis l'époque romaine rappelant, au passage, quelques détails historiques comme, par exemple, les sanctions infligées au XVIIe siècle aux naufrageurs qui, au moyen de leurres, amenaient les bateaux à leur perte : on les exécutait en les pendant au mât du navire naufragé, sur le lieu même de leur crime.

Les rochers au-dessous de Creac'h constituent un emplacement idéal pour observer les oiseaux qui font

Le phare et l'abbaye en ruine de la pointe de Saint-Mathieu, à l'extrémité occidentale du nord du Finistère.

d'Ouessant un paradis ornithologique. Macareux, pétrels des tempêtes et fous de Bassan se reproduisent tout autour de la côte découpée de l'île, et on a pu recenser 350 espèces environ, lors des migrations du printemps et de l'automne.

Après quelques centaines de mètres de prairies intérieures, tondues à ras par les moutons noirs y broutant, on arrive au petit Ecomusée d'Ouessant, installé dans deux habitations basses, construites en pierre. L'une abrite un modeste musée des coutumes et de la vie locale, et la seconde est aménagée comme une maison familiale de marin, du début du siècle. Lits clos, armoires, tables, statues de la Vierge, photographies et instruments de cuisine sont installés avec beaucoup d'ordre dans un minuscule deux-pièces évoquant plutôt une cabine double à bord d'un bateau qu'une maison familiale. Le mobilier est tout en bois flotté et peint aux couleurs de la Vierge, en bleu et blanc. En général, seuls les femmes, les enfants et les hommes n'ayant plus l'âge de naviguer, restaient à la maison tandis que les hommes valides passaient l'essentiel de leur temps en mer. Ainsi se développa dans l'île un mode de vie proche du matriarcat : les femmes avaient l'habitude de gérer les affaires de la vie quotidienne et même de prendre l'initiative de la demande en mariage. Quand une jeune fille d'Ouessant décidait de se marier, elle apportait un morceau de bacon à la maison du jeune homme de son choix. S'il l'acceptait, elle s'installait dans la maison du promis pour une période probatoire, aidant sa future belle-mère aux champs et à la maison. et le mariage n'était célébré et couronné qu'à la fin de cette période.

Autre coutume spécifique à l'île, le rite funéraire de la *proella* se déroulait à Ouessant pour les marins morts loin de leur patrie. Quand parvenait la nouvelle d'une telle disparition jusqu'à l'île, le maire l'annonçait au parrain du disparu qui la transmettait à tout le voisinage. En dernier lieu, à la tombée de la nuit, le parrain passait chez la veuve ou la mère du mort pour lui transmettre ce message rituel : « Une *proella* se tiendra ici ce soir, ma pauvre enfant. » La mère ou la veuve disposait alors une croix en tissu en haut de laquelle elle plaçait une petite croix de cire, et on passait la nuit à veiller, à prier tout autour. Le jour suivant la croix de cire *(croix de proella)*, transportée à l'église de Lampaul, la capitale de l'île, était déposée dans une urne près de l'autel pour un certain temps, puis elle allait rejoindre les autres croix dans un petit mausolée en forme de hutte dans le petit cimetière encombré, en dessous de l'église. Le mausolée existe encore avec cette inscription : A nos marins morts loin de leur patrie, victimes de la guerre, de la maladie ou d'un naufrage.

L'histoire d'Ouessant est ponctuée de tragédies qui se sont déroulées au large de sa côte rocheuse. Une des catastrophes les plus graves eut lieu en juin 1896, par une nuit de calme plat, alors qu'Ouessant et l'île voisine de Molène étaient enveloppées par le brouillard. Un paquebot britannique, le *Drummond Castle*, heurta un rocher à l'ouest de Molène, et, en dix minutes, il fut précipité, proue en avant, par le fond. Il n'y eut que trois survivants. En reconnaissance des efforts héroïques, quoique vains, déployés par les habitants de l'île pour sauver les passagers et l'équipage, la reine Victoria offrit un calice à l'église de Molène et prit à sa charge la construction d'une nouvelle flèche pour le clocher de l'église de Lampaul.

De retour sur le continent, la route parallèle à la côte, la D 28 part du Conquet vers le nord, traverse 20 km de vastes campagnes, et ne s'interrompt qu'au village de Plouarzel. En 1988, Plouarzel eut les honneurs du *Livre des records de Guinness* pour avoir confectionné la plus grosse crêpe du monde d'un diamètre de 6 m et d'un poids de 2 tonnes. A quelques kilomètres à l'intérieur, on trouve le menhir de Kerloas, haut de 12 m, le plus grand monolithe de France. En dépit de sa taille, on peut facilement le manquer, étant donné qu'il est assez loin de la route et qu'on ne peut l'atteindre que par un sentier champêtre. A un mètre de sa base apparaissent des protubérances en forme de mamelons, contre lesquelles des jeunes femmes désireuses d'avoir un enfant avaient l'habitude de se frotter : c'est une sorte de coutume païenne liée à la fertilité qui a été étouffée, ailleurs en Europe, par le christianisme mais qui s'est perpétuée dans quelques régions reculées.

Lors de mon passage à Plouarzel, j'ai pris la mauvaise route pour sortir du village, mais j'ai été content de cette

Casiers à homards régulièrement alignés à côté des bassins du port du Conquet, point d'embarquement pour la traversée en ferry menant à l'île d'Ouessant (Ushant) balayée par les vents.

méprise, car mon erreur m'a fait passer devant la chapelle de Saint-Eloi (Eligius), située au bout d'une allée plantée d'arbres, à des kilomètres de tout, au bord de l'Ildut. A l'intérieur de la chapelle, l'on peut voir une petite statue en bois d'Eligius, le saint patron des maréchaux-ferrants, tenant un marteau et des tenailles, avec un cheval miniature à côté de lui. Comme pour beaucoup d'autres saints bretons, on raconte qu'au VIIe siècle, il serait venu de Grande-Bretagne en traversant la Manche dans une auge de pierre. Le 24 juin, un pardon se déroule à Saint-Eloi pour les chevaux et leurs propriétaires ; une rigole a été creusée à partir de la fontaine toute proche des pèlerins, pour permettre aux animaux de s'abreuver.

La route littorale traverse l'estuaire vaseux de l'Ildut, et, décrivant un arc de cercle, elle mène à la petite ville de Ploudalmézeau. Trois kilomètres avant d'y arriver, une petite route qui prend sur la côte descend au port de Portsall, faisant face au nord à une mer parsemée d'îlots et de récifs. C'est au large de cette côte qu'en mars 1978, l'*Amoco Cadiz*, un pétrolier géant, s'échoua en se scindant, déversant dans la mer un quart de million de tonnes de pétrole. Tout au long de la côte nord, de la rade de Brest à la baie de Saint-Brieuc, la marée noire se répandit sur le sable des plages estivales, noircit les rochers, remplit les moindres mares et crevasses, et laissa une écume de pétrole marquant la limite de chaque vague. Trois semaines après la catastrophe, j'ai visité la région et trouvé une côte qui répandait une épouvantable odeur de station d'essence, et où il n'y avait pour ainsi dire plus aucun oiseau de mer, en dehors de quelques mouettes paraissant bien mal en point avec leurs ailes et leur poitrail englués de pétrole. Sur la mer, on pouvait à peine apercevoir à travers le brouillard du large ce qui restait de la coque du pétrolier.

Revenant douze ans plus tard à Portsall, j'ai eu du mal à imaginer que la catastrophe avait pu avoir lieu. L'épave avait complètement disparu, les rochers étaient propres et recouverts de mousse fraîche, les mouettes étaient revenues en force, et les enfants s'amusaient à creuser la vase de l'estuaire pour y mettre leurs appâts. Pourtant Portstall n'avait pas oublié l'*Amoco Cadiz* : les 28 tonnes de son ancre et de sa chaîne rouillée ont été remontées du fond de la mer et placées sur le mur du port, comme quelque pièce monstrueuse d'une sculpture moderne.

Pour achever le tour de la côte des Abers (*aber* signifie estuaire en breton, tout comme en gallois), suivez la D 28 en traversant les estuaires dits Aber Benoît et Aber Wrac'h, où, à marée basse, des carcasses d'embarcations et de petits bateaux gisent échoués dans la vase. A Plouguerneau, un petit musée maritime rappelle le passé des Abers, avec des panneaux montrant le modelage du littoral, les phares et le travail éreintant des goémoniers qui se pratique encore aujourd'hui. Le phare de l'île Vierge, à 5 km au nord-ouest du village, est le plus haut phare de monde construit en pierres.

De Plouguerneau, prenez la D 32, vers l'intérieur, en direction de Le Folgoët. Vous pouvez apercevoir la flèche de son imposante basilique à travers les champs de maïs, alors que vous en êtes encore à plus de 5 km. Et son envergure de cathédrale dans une région qui ne compte que de petites chapelles de village montre que vous arrivez là dans un important centre religieux. Le Folgoët (*Ar Folgoat* en breton) signifie : bois du fol, ce qui révèle un mélange typiquement breton de réalité et d'imagination.

Au milieu du XIVe siècle, un innocent du nom de Salomon ou Salaün vivait, près d'une source, dans un bois aux environs de la cité de Lesneven. Tous les matins, il se rendait à la ville, où il assistait à la messe, psalmodiant sans cesse les mots : *Ô Itroun Gwerhez Mari* (Ô Dame Vierge Marie), tandis que les habitants lui donnaient un peu de nourriture. De retour dans son bois, il trempait son pain dans la source pour l'amollir. Au plus fort de l'hiver, il plongeait dans l'eau jusqu'aux aisselles, puis il montait sur un arbre, en secouait les branches, tout en criant *Ô Mari*. Il n'y a donc rien d'étonnant à ce que les gens du lieu l'aient surnommé Salaün le fol, Salomon le fou. Il mourut vers 1358. Peu après, un lys blanc poussa sur sa tombe avec les mots AVE MARIA inscrits en lettres d'or sur ses pétales. Curieux de découvrir l'origine de cette plante, les membres du clergé bêchèrent jusqu'à

L'ancre et la chaîne du pétrolier Amoco Cadiz, *à côté du port de Portsall. Le navire échoué au nord-ouest du Finistère en 1978, se brisa, polluant une bonne partie de la côte nord de la Bretagne.*

la racine et découvrirent que c'est dans la bouche même de Salaün que la fleur avait germé...

Les politiques reprirent l'affaire à leur compte, comme ce fut souvent le cas dans la Bretagne du Moyen Age. Le duc Jean IV de Bretagne vit dans l'histoire de Salaün le moyen de s'assurer la loyauté des versatiles Bretons du Finistère. Il ordonna qu'une chapelle fût construite à l'endroit du miracle et en posa lui-même la première pierre en janvier 1365. La chapelle du Folgoët fut l'objet de la faveur des ducs successifs et par conséquent s'enrichit, prospérité qui atteignit son apogée avec la visite de la duchesse Anne, lors de son voyage en Bretagne en 1506 quand elle finança l'achèvement de la basilique.

L'église de style gothique flamboyant est flanquée, à l'ouest, de deux tours de taille différente. La grande tour nord est couronnée d'une haute flèche, entourée de clochetons, tandis que la tour sud n'a jamais été vraiment achevée et son toit, simple cône, a été ajouté au XVIIe siècle. A l'intérieur, l'élément le plus remarquable est le somptueux et raffiné jubé de pierre, facture très rare en Bretagne où le bois est le matériau usuel pour les jubés. Ses feuillages et autres motifs sculptés ont la finesse de la dentelle. Les vitraux de l'extrémité racontent l'histoire de Salaün. Des miracles postérieurs sont commémorés aussi par un bas-relief montrant un déraillement qui eut lieu en 1882 et d'où des Bretons, en route vers Lourdes, sortirent sains et saufs. Le presbytère, à côté de l'église, abrite un petit musée local qui présente un mobilier, des costumes et des bannières de procession de Bretagne. Le Folgoët organise un des pardons les plus importants de cette province, le premier samedi après le 8 septembre.

Quittez Le Folgoët, traversez Lesneven et dirigez-vous vers l'est sur la D 788. Après avoir dépassé le village de Lanhouarneau, tournez à droite pour prendre les routes écartées qui mènent au château de Kerjean, le plus beau de cette partie de la Bretagne. A la différence de tant de châteaux bretons qui semblent s'enfoncer peu à peu dans la terre, dans une décadence somnolente, bien que romantique, Kerjean s'est bien conservé et fait l'objet de restaurations systématiques. On y accède par une large allée bordée de hêtres, au bout de laquelle se dressent ses murs extérieurs de granits, percés d'emplacement, pour les canons et entourés d'une douve asséchée. Cette austère enceinte fortifiée contraste avec le princier bâtiment Renaissance de l'intérieur. Beaucoup de ses fenêtres à meneaux ont perdu leurs vitrages et semblent fixer comme des yeux aveugles la cour intérieure, après l'incendie qui, en 1710, ravagea une aile, jamais reconstruite.

Kerjean a été édifié par la famille Barbier qui, autour de 1500, acheta un terrain et un vieux manoir dans le Léon. Au milieu du XVIe siècle, la famille avait gagné suffisamment d'argent pour faire bâtir, tout près, un splendide château, ce qui avait amené un propriétaire foncier du coin à comparer, par jalousie, les Barbier aux « géants qui avaient construit la tour de Babel ». Autour de 1580, le château était achevé, avec de vastes appartements sur trois côtés de la cour intérieure, et un large portique à galerie, au sud, le long de la façade d'entrée. Pendant deux siècles de prospérité, les propriétaires de Kerjean furent les souverains sans couronne de la région, mais les révolutionnaires guillotinèrent leur héritière et transformèrent les lieux en caserne pour les gardes nationaux, décrivant le château comme « un ancien repaire de la tyrannie et de la féodalité ». Par bonheur, il échappa à la destruction et subsista au XIXe siècle dans un état de dégradation, certes, mais qui permit cependant sa survie. L'Etat en fit l'acquisition en 1911 et, depuis 1986, il constitue un site culturel capital du Finistère.

La plupart des salles importantes, plus ou moins bien restaurées, sont aujourd'hui ouvertes au public. La chapelle possède une voûte de bois en berceau avec des sablières finement sculptées de 1580 environ ; la cuisine, avec ses deux cheminées monumentales, est remplie d'ustensiles de cuivre et de récipients en étain ; quant à la salle des gardes, elle contient une collection de statues de pierre provenant d'anciens calvaires. Les écuries, pavées de galets, servent actuellement à présenter des expositions, dont le contenu change chaque année.

Une récente exposition a apporté un éclairage fascinant sur un des chemins de traverse de la culture bretonne, les missions religieuses qui commencèrent au XVIIe siècle et se prolongèrent, phénomène étonnant, jusque dans les

L'estuaire envasé de l'aber Wrac'h, une des nombreuses rias de la côte nord-ouest du Finistère.

années 1940. Les prêtres, en mission itinérante, allaient de paroisse en paroisse, prophétisant les feux de l'enfer et la damnation en brandissant des bannières qui dépeignaient, à l'aide de dessins, tous les péchés et, dans une moindre mesure, les vertus. Les bannières du XIXe siècle montraient les pécheurs comme des paysans en costume breton, avec leurs péchés sous l'apparence d'animaux variés, agrippés à leur âme. Dans les années 1920, les paysans avaient fait place à des hommes d'affaire et à des femmes légères, tandis que sur les plus récentes, datant de 1945, à la gourmandise, convoitise et au reste, on avait ajouté les péchés d'aller au cinéma et de voter lors des élections (probablement pour des candidats anticléricaux)...

De Kerjean, prenez la direction du nord sur la D 30 menant à Plouescat et à la côte. Vous êtes maintenant dans la Ceinture dorée zone agricole fertile bordant la côte jusqu'à Saint-Pol-de-Léon, qui, par sa production d'artichauts, de choux-fleurs et d'autres légumes, est l'une des plus riches de Bretagne. A Plouescat, prenez à droite la D 10 pour Saint-Pol ; juste avant le village de Sibiril, un chemin sur la gauche vous fait descendre au château de Kérouzéré. A la différence de Kerjean, il ne fait pas partie du domaine public et on ne peut le visiter que sur rendez-vous. Construit en 1425 par Jean de Kérouzéré, c'est un édifice d'apparence redoutable, avec sa forme compacte et ses tourelles, manifestant la force bourrue typique d'une région autrefois sans lois. Sous le château, un espace plat ressemble à une lice ; vers le nord, on entrevoit la mer dans le lointain.

En approchant de Saint-Pol, vous pouvez voir les flèches de ses églises s'élever au-dessus des champs d'artichauts. Mais commencez par faire un crochet par Roscoff, car Saint-Pol est sur la route de retour à Morlaix. Depuis les années 1970, les installations portuaires au sud de Roscoff sont devenues familières aux milliers de touristes britanniques qui depuis Plymouth traversent la Manche, la plupart pressés de brûler une étape vers le sud, et du même coup, négligent complètement Roscoff. Ils y perdent, car c'est une jolie petite ville propice aux découvertes dans ses rues bordée de maisons de granit. Elle a une longue histoire maritime qui atteignit son apogée à l'époque des corsaires, du XVIe au XVIIIe siècle. C'est de cette époque que datent beaucoup de maisons de la place principale et du front de mer. Elles sont dominées par l'extraordinaire clocher du XVIe siècle, avec ses ajours, ses étages régulièrement décroissants, et ses lanternons d'angle. Les deux canons de pierre, saillant de ses murs avec un air menaçant avaient la réputation de dissuader les Anglais d'attaquer.

La dernière fois que je suis allé à Roscoff, j'ai entendu un musicien jouer en soliste de la bombarde au pied d'un mur de l'église. Quand il eut terminé le joyeux petit air qui, à ce qu'il m'a dit, avait pour titre *la Gavotte de Roscoff*, il se mit à arpenter la rue en soufflant dans son instrument à l'intention de qui voulait l'écouter. Par une étrange coïncidence, j'étais à Lorient le mois suivant quand j'ai entendu l'air familier ; c'était mon ami de Roscoff — un vrai ménestrel itinérant s'il en fut — qui jouait pour les foules d'estivants.

Sur le front de mer, les vestiges du rempart médiéval de Roscoff, maintenant séparés de la rive par un large espace goudronné, portent une inscription mentionnant que Mary Stuart, reine d'Ecosse, débarqua à Roscoff en 1548. Elle n'avait alors que cinq ans et se rendait d'Ecosse à Paris pour se fiancer au dauphin François, plus jeune de deux ans. Elle fit en France un séjour de treize ans, la plus heureuse période de sa vie tragique. Le mariage du jeune couple eut lieu en avril 1558. Au mois de septembre suivant, François succéda à son père sur le trône, sous le nom de François II, mais il mourut trois mois plus tard, à l'âge de seize ans. Mary, devenue veuve, retourna en 1561 en Ecosse, vers la gloire et le malheur qui l'attendaient.

Sur une maison de la place, une plaque sculptée reproduit un profil d'homme barbu à nez crochu, celui du poète Tristan Corbière, fils adoptif de Roscoff. Né à Morlaix en 1845, il était phtisique et alterna deux genres d'existence très différents : à Paris, où il menait dans une mansarde une vraie vie de bohème ; à Roscoff, où il se

La vieille ville de Roscoff est dominée par les niveaux décroissants de son original clocher. Roscoff a une longue histoire maritime et elle est maintenant la rivale de Saint-Malo en tant que point d'embarquement pour la traversée de la Manche vers l'Angleterre.

retirait pour se soigner à l'air de la mer. Il mourut en 1875, à l'âge de 29 ans, laissant un unique recueil de poèmes, *Les Amours jaunes*, très admiré par Verlaine et par des poètes plus jeunes. A Roscoff, il devint un fanatique de la navigation, sillonnant sur son yacht, toutes voiles dehors, l'étroite passe entre Roscoff et l'île toute proche de Batz. Ses poèmes passent des célébrations de la vie nocturne de Paris aux hymnes à la mer. Pour Corbière, Roscoff était « une vieille coque bien ancrée » et « une vieille fille à matelots », expressions qui n'ont pas dû faire plaisir à ses habitants les plus posés.

Comme il convient à une ville qui a toujours attendu de la mer ses moyens de subsistance, Roscoff possède un des plus célèbres centres de biologie marine de France, fondé en 1872 par un professeur de zoologie à la Sorbonne, Henri Lacaze-Duthiers, à qui la place principale de Roscoff doit son nom. La station biologique est à la fois un centre international universitaire et un institut d'études des différents domaines de la mer, de l'océanographie aux effets de la pollution. La clinique de thalassothérapie — la première en France, fondée en 1899 — permet à ses visiteurs de combiner les plaisirs des vacances à la mer avec la rigueur des bains aux algues, des jets d'eau à haute pression, et autres traitements marins bénéfiques.

A la lisière sud de Roscoff, non loin de l'embarcadère des vedettes, se présentent deux attractions très différentes : des viviers à poissons que l'on revendique comme les plus grands du monde, et un jardin botanique où figues de Barbarie, fuchsias, acanthes et géraniums prospèrent dans les creux d'un amas de rochers géants.

Au large, se trouve le coin le plus idyllique de cette partie de la Bretagne, le lieu idéal pour passer une paresseuse après-midi d'été. Il ne faut guère plus de dix minutes pour atteindre l'île de Batz (on prononce : Ba), au bout d'un étroit goulet partant de la longue jetée de Roscoff. C'est une île faite de champs minuscules entre des clôtures de pierre, fertilisés par le goémon, de petits sentiers menant à des prés salés face au continent, terre de prédilection pour les yuccas, cactus et autres plantes tropicales. Son église du XIXe siècle possède un reliquaire contenant des os de saint Pol, qui mourut sur l'île en 596, à l'âge avancé de cent quatre ans. On le représente généralement menant un dragon par son étole nouée au cou du monstre ; le dragon était la terreur du voisinage, mais saint Pol réussit à l'apprivoiser, le conduisit jusqu'à l'extrémité de Batz, le frappant de sa crosse jusqu'à ce qu'il sautât dans la mer pour ne plus revenir.

La cathédrale de Saint-Pol-de-Léon, à 5 km au sud de Roscoff a conservé davantage de reliques du saint : son crâne, un doigt, un os du bras et sa cloche de cuivre qui passe pour prévenir les migraines si on la fait sonner correctement. Les flèches jumelles de ce noble édifice, qui datent essentiellement des XIIIe et XIVe siècles, dominent la place principale de la ville. A l'intérieur, outre les reliques de saint Pol, on peut voir quelques stalles du XVIe siècle, une série de tombes des évêques du Léon — qui s'arrêta à la Révolution — et une macabre collection de coffrets contenant les chefs des célébrités de Saint-Pol-de-Léon au fil des années.

Les flèches de la cathédrale sont rapetissées par le voisinage, à quelques centaines de mètres plus bas, du gigantesque clocher à flèche de la chapelle dite du Kreisker, élevée au XVe siècle. Ressemblant à distance à une grosse pendule de grand-père, il atteint 17 m à son sommet et domine les champs d'artichauts et de choux-fleurs des lieues à la ronde. Je ne lui trouve pas la moindre beauté, mais il dessine un extraordinaire point d'exclamation gothique dans une campagne qui comporte peu de traits verticaux.

Du centre de Saint-Pol, tournez à gauche sous les murs du Kreisker en direction de Morlaix, quittez la route principale (D 58) pour faire un crochet à Carantec, une station pourvue de plusieurs bonnes plages, de l'autre côté de l'estuaire envasé de la Penzé par rapport à Roscoff et à Saint-Pol. L'arc de triomphe Renaissance en face de l'église présente la particularité d'être asymétrique avec deux arcs de taille différente. De Carantec, une jolie route d'estuaire (D 73) longeant d'un côté des fougères et des arbres et de l'autre la rivière tranquille vous ramène à Morlaix.

Fenêtre à encadrement orné de sculptures sur la place Lacaze-Duthiers, place principale de Roscoff. Celle-ci doit son nom au professeur qui, au XIXe siècle, fonda le centre de biologie marine de Roscoff.

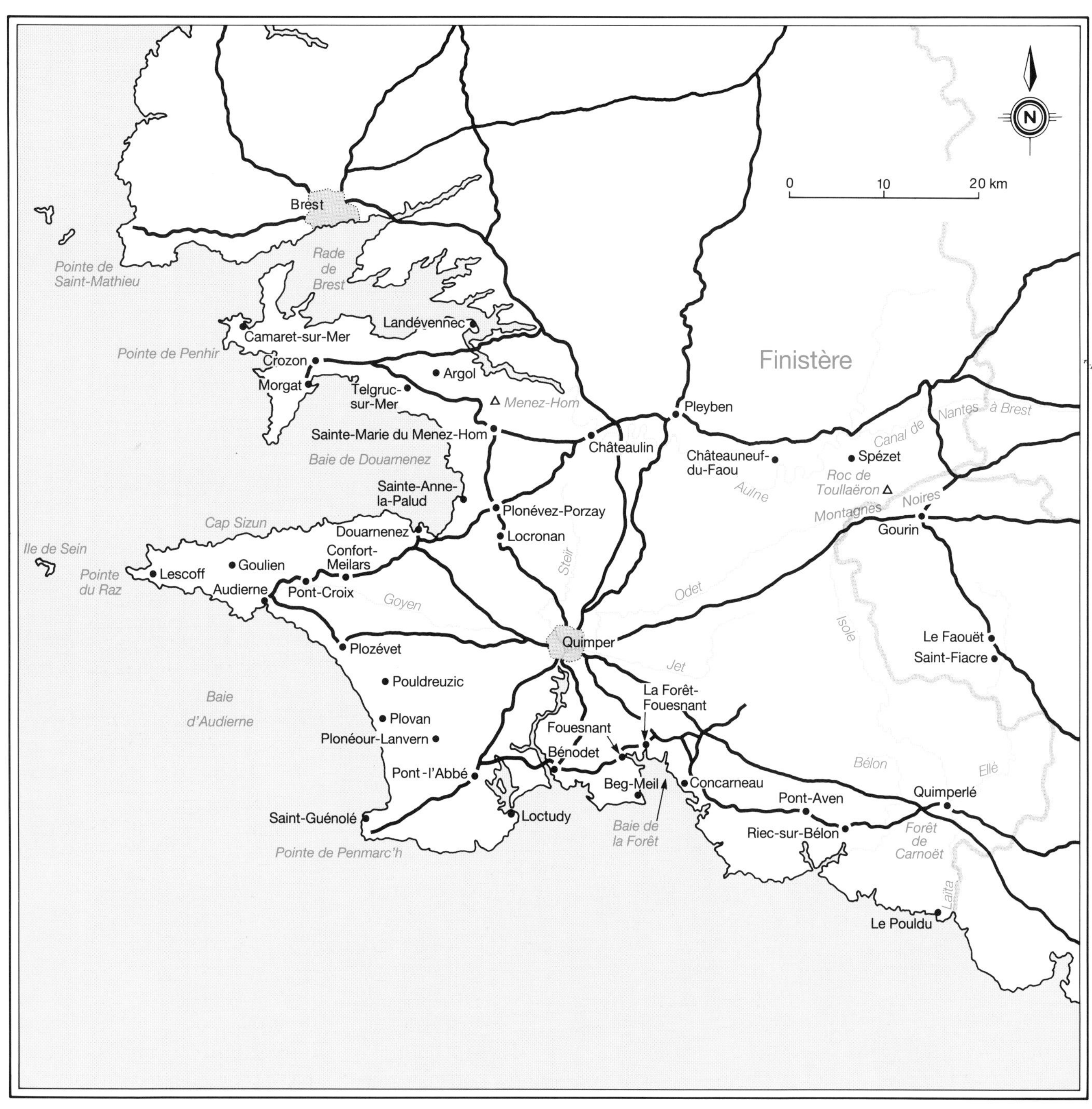
Finistère
0
10
20 km
N
Brest
Rade de Brest
Pointe de Saint-Mathieu
Landévennec
Camaret-sur-Mer
Pointe de Penhir
Crozon
Argol
Morgat
Telgruc-sur-Mer
Menez-Hom
Pleyben
Sainte-Marie du Menez-Hom
Châteaulin
Châteauneuf-du-Faou
Spézet
Canal de Nantes à Brest
Baie de Douarnenez
Roc de Toullaëron
Aulne
Sainte-Anne-la-Palud
Montagnes Noires
Cap Sizun
Plonévez-Porzay
Gourin
Douarnenez
Locronan
Ile de Sein
Confort-Meilars
Steir
Pointe du Raz
Lescoff
Goulien
Audierne
Pont-Croix
Odet
Goyen
Isole
Le Faouët
Quimper
Plozévet
Saint-Fiacre
Jet
Pouldreuzic
La Forêt-Fouesnant
Baie d'Audierne
Plovan
Fouesnant
Plonéour-Lanvern
Bénodet
Bélon
Ellé
Pont-l'Abbé
Beg-Meil
Concarneau
Quimperlé
Pont-Aven
Saint-Guénolé
Loctudy
Baie de la Forêt
Riec-sur-Bélon
Forêt de Carnoët
Pointe de Penmarc'h
Laïta
Le Pouldu

4
La Cournouaille

Quimper — Concarneau — Quimperlé — Gourin — Châteaulin
Camaret-sur-Mer — Douarnenez — Pointe du Raz

Quimper est une ville ravissante, que l'on peut facilement explorer à pied, mais assez grande pour offrir toutes les ressources d'un centre provincial important. Elle est la capitale à la fois du Finistère et de cette région imprécise du sud-ouest de la Bretagne que l'on appelle Cornouaille, nom provenant de la Cornouailles anglaise ; son nom breton, *Kemper*, signifie confluent. Quimper dut très tôt sa prospérité à sa situation, au confluent de l'Odet, qui traverse avec un débit rapide le centre-ville, et du Jet, ainsi que d'une troisième petite rivière, le Steïr, aujourd'hui canalisée dans cette partie de son cours.

L'Odet divise en deux le centre de Quimper. Sur la rive nord, se trouvent les rues médiévales pavées, l'imposante cathédrale à deux flèches, et une grande partie des bâtiments publics ; au sud, la pente abrupte du mont Frugy, avec ses allées conduisant à l'ancien quartier de Locmaria, réputé pour sa poterie. Jusqu'en 1987, le mont Frugy était couvert de hêtres, ce qui donnait l'impression d'une forêt au cœur même de la ville. Mais en octobre, cette année-là, une violente tempête, qui détruisit également les arbres du sud de l'Angleterre, ravagea la Bretagne, notamment le Finistère. Heureusement, les Quimpérois ne se laissèrent pas abattre : lorsque je retournai à Quimper, trois ans après la tempête, le mont Frugy avait été replanté de jeunes arbres, qui auront sans doute atteint une belle taille à la fin du siècle.

La région était inhabitée pendant la préhistoire, et Locmaria était une colonie romaine. La fondation de la ville de Quimper elle-même remonte à une époque antérieure aux Romains, aux premiers jours de la Bretagne, aux IVe et Ve siècles av. J.-C., et on la rattache aux figures presque mythiques de saint Corentin et du roi Gradlon.

Corentin naquit vers 375, et vécut une bonne partie de sa jeunesse dans la forêt sous le Menez-Hom, la montagne dominant la presqu'île de Crozon. Il y survécut grâce à un poisson miraculeux qui, chaque jour, se laissait obligeamment dépecer, et se régénérait au cours de la nuit. Le roi Gradlon, qui chassait par là, fut témoin de ce miracle. Comme il demandait au saint quelque chose à manger, Corentin coupa un morceau du dos du poisson, qui suffit à nourrir le roi et sa cour tout entière. Fortement impressionné, Gradlon dota d'abord Corentin d'un monastère, puis lui offrit l'évêché de sa nouvelle ville, Kemper-Odetz, qui fut plus tard appelée Kemper-Corentin. La cathédrale lui fut dédiée.

Gradlon a peut-être réellement existé. Comme le roi Arthur, il fut sans doute, après l'occupation romaine, un des guerriers qui repoussèrent les envahisseurs nordiques, et il gouverna ensuite Quimper. Mais il est plus connu comme le malheureux gouverneur de la ville engloutie d'Ys, dont les cloches sonnèrent sous les eaux de la baie de Douarnenez. C'est cette histoire qui inspira à Debussy le prélude pour piano, *La Cathédrale engloutie*, composé en 1910.

La légende raconte comment Gradlon fut trahi par sa fille Dahut ou Ahès. La ville d'Ys était protégée des vagues par des vannes qui ne pouvaient être ouvertes que par une clef que le roi portait à son cou. Mais Dahut tomba amoureuse du Diable, qui la persuada de prendre la clef à son père pendant son sommeil. Les vannes furent ainsi ouvertes, et les vagues envahirent et ensevelirent la ville et ses habitants, à l'exception du roi Gradlon, qui s'échappa sur son cheval Morvac'h (ce qui signifie : cheval de la mer, en breton). Désespérée, Dahut s'accrocha au cheval derrière son père, mais comme les vagues menaçaient de les recouvrir, il la poussa dans les eaux et gagna, sain et sauf, la terre ferme.

Monté sur Morvarc'h, Gradlon continue à embrasser du regard sa ville, du parapet situé entre les tours de la cathédrale. La statue originale aurait été placée à cet endroit au XVe siècle, mais elle fut détruite à la Révolution, et celle qu'on peut voir actuellement n'est qu'une copie. Jusqu'à la Révolution, les Quimpérois avaient une coutume, qui trouve sans doute son origine dans certains cultes préhistoriques de rois morts : la veille de la Sainte-Cécile (le 22 novembre), les choristes de la cathédrale, debout au balcon, entonnaient un hymne, tandis qu'un employé communal (le valet de ville) grimpait sur le cheval, derrière le roi de pierre, tenant une bouteille, un verre et une serviette. Il attachait la serviette autour du cou du roi, remplissait le verre et le portait aux lèvres du cavalier. Puis il buvait le verre et le jetait dans le parc en dessous, où la foule se battait pour le saisir avant qu'il ne s'écrase au sol. Personne ne gagna jamais le prix des cent écus offerts à celui qui réussirait à l'attraper. On terminait la cérémonie en mettant dans la main de Gradlon une branche de laurier, placée comme un sceptre.

Les flèches gracieuses de la cathédrale dominent Quimper. Bien qu'elles semblent être là depuis des siècles, elles n'ont en fait été construites qu'en 1854. Auparavant, les tours étaient coiffées d'un toit bas, pyramidal et couvert de tuiles, appelé de façon péjorative éteignoir. La cathédrale est l'un des plus beaux édifices gothiques, ainsi que l'un des plus élaborés, de Bretagne. Un trait inhabituel est la déviation très nette des axes, entre celui de la nef du XVe siècle et celui du chœur du XIIIe siècle. Ce déboîtement symbolise, à ce qu'on dit, l'angle formé par la tête penchée du Christ sur la croix, mais il est plus probablement dû au fait que le chœur est construit sur le site d'une chapelle du XIe siècle, tandis que la nef est bâtie sur un alignement différent, à l'emplacement d'une église romane.

L'intérieur est sombre, la lumière étant considérablement filtrée par les vitraux vivement colorés, certains d'entre eux datant du XVe siècle. L'élément le plus remarquable du mobilier est l'orgue, qui s'élève au-dessus d'un écran de pierre ; il fut reconstruit en 1643 par Robert Dallam, un éminent facteur, qui avait quitté l'Angleterre l'année précédente, probablement à cause de l'hostilité des puritains à l'égard de la musique. Il retourna en Angleterre en 1660, à la Restauration, laissant ses fils, Thomas et Toussaint, poursuivre son travail. En dehors de Quimper, on doit aux Dallam la reconstruction des orgues de Guimiliau, Sizun et Pleyben.

Quimper est une ville où il est agréable de flâner, au gré de votre inspiration, et elle se prête difficilement à un itinéraire établi. Entre l'enceinte de la cathédrale et la rivière, s'étend une partie des remparts de la vieille ville, puissamment fortifiée, où les évêques de Quimper avaient l'habitude de se promener, en profitant de la vue, à l'écart de la vie trépidante et agitée au-dessous. L'enceinte elle-même est un endroit merveilleux. On y accède par un petit cloître au sud de la cathédrale, et cette tranquille oasis, ombragée par un grand saule pleureur, forme l'antichambre du Musée breton. Ce musée de la vie et de la culture bretonnes, riche en poterie locale, occupe un splendide bâtiment en pierre de la Renaissance, qui fut autrefois le manoir épiscopal et qui possède un magnifique

Les gracieuses flèches jumelles de la cathédrale médiévale de Quimper, qui dominent la ville, sont récentes, datant du XIXe siècle. L'Odet coule entre les bâtiments au premier plan.

Partie des remparts de la ville médiévale de Quimper, construits originellement pour défendre le domaine de l'évêque, qui s'étend tout autour de la cathédrale.

Tout à côté de la cathédrale de Quimper se trouve le magnifique manoir épiscopal, transformé en musée consacré à la vie et à la culture bretonnes.

escalier à vis. Costumes, paysans en fête et paysage urbain sont rassemblés dans ma peinture favorite, qui représente une Bretagne depuis longtemps disparue — *Le Champ de foire à Quimper*, tableau vivant à la Bruegel, réalisé par Olivier Perrin au début du XIXe siècle.

Au nord de la cathédrale, la petite place de Laënnec abrite un marché animé. Elle doit son nom à René Laënnec, inventeur du stéthoscope, né à Quimper en 1781. Sa statue en bronze repose sur un énorme volume, dont le titre, *Auscultation*, est défini par le Petit Robert comme « l'action d'écouter les bruits se produisant à l'intérieur de l'organisme pour faire un diagnostic ».

Le superbe porche occidental de la cathédrale de Quimper. Il fut gravement endommagé pendant la Révolution ; la plupart de ses statues furent détruites.

De l'autre côté de la place, se trouve le musée des Beaux-Arts ; son importante collection compte des œuvres de maîtres italiens et hollandais, ainsi que de jolis tableaux bretons du XIXe siècle comme *Le Port de Quimper* d'Eugène Boudin, et *La Vieille du Pouldu* de Paul Sérusier, disciple de Gauguin, montrant une paysanne sans âge penchée sur le manche d'une pioche, avec un paysage marin rocailleux en arrière-plan.

Plusieurs salles sont consacrées à la vie et l'œuvre de Max Jacob, poète et peintre né à Quimper en 1876. A vingt ans, il se rendit à Paris, où il rencontra Picasso, Apollinaire et d'autres artistes de l'époque, et se fit reconnaître comme leur égal. Son œuvre principale, un recueil de poèmes surréalistes intitulé *Le Cornet à dés*, fut

IMMOBILIER

publiée en 1916 ; elle fut suivie, en 1920, par les *Poèmes de Morven le Gaëlique*, qui sont beaucoup plus simples et font allusion à l'enfance de Jacob, à Quimper. Arrêté comme juif par la Gestapo en février 1944, il fut conduit au camp de concentration de Drancy, au nord-est de Paris, où il mourut quelques semaines plus tard. En 1976, les Quimpérois fêtèrent son centenaire en rebaptisant le pont principal traversant l'Odet pont Max-Jacob .

Les rues médiévales de Quimper, dont plusieurs sont piétonnes, s'étendent à l'ouest et au nord de la cathédrale. La plus célèbre d'entre elles, la rue Kéréon, est bordée de superbes maisons, au rez-de-chaussée en pierre, et aux étages à colombage, qui font l'orgueil de la ville. Non loin de là, dans la rue du Guéodet, une vieille maison mérite d'être vue, ornée de quatre groupes de figures grotesques sculptées soutenant la poutre centrale de l'édifice. En remontant la colline, on débouche sur la plus jolie place de Quimper, la place au Beurre, appelée autrefois place au Beurre-en-pot.

Ces vieilles rues appartiennent à l'ancien domaine de l'évêque, dans la ville fortifiée ou ville close, dont la limite occidentale était marquée par la petite rivière Steïr. De l'autre côté de la rivière, s'étale la ville séculière, le domaine du duc ou terre au duc, perpétué par une place du même nom. Comme dans la ville close, le Moyen Age subsiste dans les noms des rues : venelle du Poivre et venelle du Pain cuit.

Le plus vieux quartier de Quimper est situé de l'autre côté de l'Odet, à dix minutes de marche, au pied du mont Frugy, sur le bras mort du Locmaria. A l'époque romaine, le quartier de Locmaria était appelé Aquilonia, et il semble probable que ce fut le siège originel de l'évêché. Il possède l'une des plus belles églises romanes de la Bretagne, dédiée à la Vierge (Locmaria signifie : lieu de Marie). Eglise de prieuré à l'origine, cet édifice massif et austère du XIe siècle présente un superbe portail à l'ouest, ainsi qu'une nef aux lourds piliers cruciformes. Au sud, le petit cloître tranquille, couvert de fleurs, peut sembler médiéval, mais il date en fait du XVIIe siècle.

La rue Kéréon, la plus fameuse rue médiévale de Quimper. Apparaît, au second plan, la magnifique façade occidentale gothique de la cathédrale.

Cette statue en bois peint d'un paysan en costume breton orne une maison médiévale de la rue Kéréon.

A quelques pas de la cathédrale, se trouvent les ateliers de faïence qui ont rendu Quimper célèbre dans le monde entier. A l'occasion d'une visite guidée, vous pourrez regarder les potiers, assis à leurs tours, façonner des assiettes et des pots de toutes sortes, et les peintres concentrés sur leur ouvrage exécuter, dans le style traditionnel de la faïence de Quimper, les motifs paysans et floraux datant d'un siècle ou plus. La poterie est pratiquée depuis l'époque romaine à Locmaria, très bien situé pour cet artisanat. On trouvait en effet, non loin de là, d'abondantes réserves d'argile, ainsi que du bois pour chauffer les fours, tandis que l'Odet facilitait l'exportation du produit fini. On fait remonter le début de cette entreprise florissante à 1690, année où Jean-Baptiste Bousquet, homme d'affaires marseillais, reprit la poterie que gérait le

Edifice principalement Renaissance, l'église de Locronan garde cependant un très net caractère gothique, typiquement breton, manifeste dans les détails de cette petite fenêtre de la façade septentrionale (voir p. 124).

prieuré et la transforma en faïencerie produisant de la vaisselle émaillée dans le style majolique. Après sa mort en 1708, la faïencerie passa de père en fils. La figure la plus éminente fut Pierre Clément Caussy, auteur d'un *Traité de la Faïence*, publié en 1747, qui non seulement révèle les secrets de cet art, mais donne également des indications sur la manière de gérer une manufacture selon les principes paternalistes du XVIIIe siècle.

La faïence moderne de Quimper est la reproduction de celle du XIXe siècle, plus précisément de la période « Grande Maison », caractérisée par les initiales H.B. du fabricant, dont le nom Hubaudière-Bousquet était la synthèse entre celui du fondateur de la faïence et celui de la fille de Caussy, Marie-Elisabeth, qui épousa Antoine de La Hubaudière et conserva le nom de son mari (à l'exception d'une période, pendant la Révolution, au cours de laquelle elle se fit appeler citoyenne Caussy) après la mort de celui-ci sur l'échafaud en 1793. On peut voir au musée de la Faïence des échantillons de pièces produites à cette époque.

La place de la Résistance, au pied du mont Frugy, est le cadre du Festival annuel de Cornouaille, qui célèbre pendant une semaine, au mois de juillet, les traditions bretonnes. Les participants viennent de toute la Bretagne pour rivaliser les uns avec les autres, dans la splendeur de leurs costumes régionaux, danseurs agiles exécutant des gavottes, musiciens virtuoses jouant du biniou, de la bombarde, du tambour, de l'accordéon et d'autres instruments. Le festival s'achève par un grand feu d'artifice et un *fest-noz*, une nuit de fête, au cours de laquelle des milliers de Quimpérois dansent la gavotte bretonne, sous les arbres et dans les vieilles rues de la ville, en se restaurant à l'aide de crêpes et de cidre.

Comme tous les autres grands festivals bretons, il s'agit autant d'une manifestation de solidarité celtique que d'une occasion de faire la fête : les Irlandais, les Ecossais et les autres groupes celtes d'Europe y participent, et des chanteurs bretons comme Alan Stivell utilisent toutes les ressources du rock moderne et de la musique électronique pour se lamenter sur la gloire passée de leur patrie, ou pour chanter leur espoir d'un futur meilleur.

De Quimper, prenez la D 34 vers le sud, en direction de la station balnéaire de Bénodet (Ben-Odet), à l'embouchure de l'Odet. Avec ses deux belles plages, c'est l'une des stations balnéaires les plus populaires du Finistère, particulièrement appréciée des touristes britanniques depuis le XIXe siècle. Elle constitue le point de départ de la belle vallée de l'Odet, invisible ailleurs, car encastrée entre des rives abruptes et couvertes d'arbres. La station et la rivière ont inspiré un poème à Apollinaire, évoquant avec nostalgie, au beau milieu des horreurs de la Première Guerre mondiale, « les bateaux de Bénodet à la voile azurée », et « l'Odet plus douce que ne sonne son nom ».

Roulez vers l'est sur la D 44, puis prenez la D 45, qui aboutit à la station balnéaire de Beg-Meil, plus petite et plus select, avec ses villas du XIXe siècle perchées au bout d'un promontoire, regardant vers Concarneau, de l'autre côté de la baie de la Forêt. Comme les hêtres du mont

Frugy, la plupart des magnifiques pins qui faisaient le charme de Beg-Meil furent détruits par la tempête d'octobre 1989. Il faudra trente ou quarante ans avant que les jeunes arbres replantés n'atteignent leur maturité, et avant que Beg-Meil ne redevienne l'endroit, retiré du monde, où Proust avait séjourné un siècle auparavant.

De retour sur la principale route côtière, contournez Concarneau en traversant les villages de Fouesnant et de La Forêt-Fouesnant. C'est une région où la forêt naturelle a pratiquement disparu, au profit de vergers, dont les pommiers, dit-on, produisent le meilleur cidre de Bretagne. A Fouesnant a lieu, le premier dimanche suivant le 14 juillet, la Fête des pommiers, où les habitants défilent dans leurs costumes traditionnels colorés (giz fwen, costume de Fouesnant).

Concarneau a trois visages distincts : celui de la station balnéaire aux plages sableuses faisant face à Beg-Meil, de l'autre côté de la baie ; celui du port de pêche au thon, le plus important de France, avec ses entrepôts, ses chantiers de construction navale et ses fabriques de conserves ; et celui de la ville médiévale fortifiée, ou ville close, qui est le Concarneau visité par les touristes. Construite sur une petite île en forme de croissant et reliée au continent par une étroite chaussée, elle vous donne l'illusion d'être encore au Moyen Age, à condition de faire abstraction de l'agitation moderne. Le nom breton de Concarneau est *Konk-Kernev,* la crique de Cornouaille, une crique qui abritait un port important, du moins au XIIIe siècle. Ses fortifications furent principalement conçues par Vauban (1633-1707), le grand ingénieur militaire de Louis XIV.

Il n'y a pas grand-chose à faire dans la ville close, à part se promener le long des remparts (le fait d'avoir à payer pour en faire le tour ne semble guère indisposer les gens), manger des crêpes, acheter des bibelots, et visiter le petit mais fascinant musée de la Pêche, qui expose un certain nombre de chalutiers, à côté d'instruments de pêche et de navigation de toute sorte, ainsi que des peintures et des photographies historiques. Chaque mois d'août, se déroule à Concarneau la Fête des Filets bleus ; simple fête à l'origine, dont le but était la bénédiction des filets destinée à leur assurer le succès pour la future saison de pêche, ses réjouissances durent aujourd'hui cinq jours, au cours desquels les filets sont pendus le long de la chaussée entre le continent et la ville close, tandis que la foule s'entasse dans la rue principale.

Concarneau était bien connu de Paul Gauguin (1848-1903), qui fut mêlé à une rixe, lorsqu'il vivait et peignait à Pont-Aven, à 14 kmsur la côte. En mai 1894, il visita la ville close avec sa maîtresse, connue sous le nom d'Anne la Javanaise, qui ajoutait encore à son apparence exotique en transportant un singe apprivoisé sur l'épaule. Les enfants du coin commencèrent par se moquer d'elle, puis finirent par lui jeter des pierres. Un groupe de marins sortit d'un café, et une véritable bagarre s'ensuivit. Dans une lettre, Gauguin raconte comment il mit hors de combat un pilote de bateau, fut attaqué par quinze marins, se cassa une jambe dans une fondrière et dut être transporté à Pont-Aven. Pour finir, Anne la Javanaise dévalisa, en son absence, son studio de Paris, et s'enfuit avec son butin.

L'âme de Gauguin est partout à Pont-Aven, bien que curieusement vous n'y voyiez jamais d'exposition permanente de ses peintures. La place près du pont porte son nom, et vous pouvez faire sa promenade favorite le long de l'Aven au flot rapide, sous les arbres du bois d'Amour.

Quand, en 1886, Gauguin arriva à Pont-Aven, c'était une petite ville tranquille où les peintres pouvaient s'asseoir aux terrasses de café pour boire, jouer aux cartes et bavarder. Aujourd'hui, il vous faudra parfois dix minutes pour traverser la rue, encombrée de camions bruyants descendant vers la rivière, et de voitures de touristes avançant à pas de tortue.

Quand Gauguin vint dans cette ville, elle avait déjà la réputation d'être un haut lieu artistique. Randolph Caldecott, l'illustrateur victorien de *John Gilpin* et d'autres livres pour enfants, la dépeignit dans les termes suivants : « En approchant de Pont-Aven, le voyageur entend un curieux bruit venant du sol et des bois autour de lui. C'est le bruissement des pinceaux, sur les toiles des peintres en plein travail, que l'on aperçoit dans les coins verts et ombragés. Ces peintres ne s'éloignent guère de la ville, où l'on trouve cidre, billards et tabac. »

Et il fait ensuite des commentaires sur la bonne volonté des paysans, toujours prêts à poser comme modèles pour un franc, sauf à l'époque de la moisson, lors de laquelle les pêcheurs, le long du quai sous le pont, s'avèrent des sujets plus intéressants.

Après quelques mois à Pont-Aven, Gauguin était le chef de file incontesté du groupe de peintres vivant à la pension Gloanec. Dans une lettre à sa femme, il écrivait : « Je travaille beaucoup ici, et avec succès. Je suis respecté, considéré comme le peintre le plus capable de Pont-Aven, bien que je n'en sois pas plus riche d'un sou. » Les paysages bretons et la population locale lui fournirent l'inspiration pour ses meilleures œuvres pendant cinq années, interrompues par deux séjours hors de la région, le premier en Amérique centrale, en 1887, et le second en 1888, à Arles, où il passa deux mois à peindre avec Vincent Van Gogh, qui amena la scène scandaleuse où Van Gogh se coupa l'oreille avec un rasoir.

A Pont-Aven, les peintres les plus proches de Gauguin étaient Paul Sérusier et Emile Bernard (1868-1941). Sérusier inventa le terme : nabis (à partir d'un mot hébreu signifiant prophète) pour désigner le groupe de jeunes artistes qui adopta les nouvelles idées du synthétisme, manière de peindre en juxtaposant violemment les couleurs contrastées. Le synthétisme est en opposition avec l'impressionnisme, qui mélangeait doucement les tons. Gauguin subit en retour l'influence de ses amis. C'est après avoir vu une peinture de Bernard qu'il réalisa *La Vision après le Sermon*, exposée aujourd'hui à la National Gallery of Scotland, à Edimbourg. Dans ce tableau, il abandonnait la perspective conventionnelle, opposant des personnages de paysannes en coiffes avec les petites figures de Jacob et de l'Ange, luttant sur un champ rouge éclatant. Gauguin offrit ce chef-d'œuvre au curé d'un village voisin, qui le refusa sous prétexte que ses paroissiens ne le comprendraient pas. Des expositions de peintres de l'Ecole de Pont-Aven, de l'époque de Gauguin jusqu'à nos jours, ont lieu chaque année à l'hôtel de Ville.

Ne quittez pas Pont-Aven sans vous rendre, de préférence à pied, à la chapelle de Trémalo, perchée au-dessus de la ville, entre des bâtiments de fermes et une allée de hêtres. C'est un simple édifice de pierre, avec un toit de bardeaux descendant presque jusqu'au sol, et un petit beffroi ouvert, que l'on peut atteindre par des marches taillées dans le pignon. L'intérieur est mieux conservé que dans la plupart de ces chapelles isolées ; les frises de figures grotesques, sculptées au niveau des poutres sont peintes de couleurs vives, tout comme les monstres grimaçants qui tiennent dans leurs mâchoires l'extrémité de chaque poutre.

La figure d'un Christ en bois peint sur la croix, les bras étendus de manière rigide et la tête légèrement penchée, fait la célébrité de cette chapelle, unique en Bretagne ; c'est elle qui inspira à Gauguin l'une de ses plus remarquables toiles, le *Christ jaune* (aujourd'hui à l'Albright-Knox Art Gallery, à Buffalo). Lors de ma première visite, par une chaude après-midi d'été, j'arrivai avec une carte postale du Christ jaune, pour faire la

La figure en bois peint jaune du Christ, dans la chapelle de Trémalo, située sur une colline au-dessus de Pont-Aven, inspira à Gauguin son Christ jaune.

La ville fortifiée médiévale (ville close) de Concarneau est construite sur une petite île reliée au continent par une chaussée.

Saint Luc écrivant son évangile, à l'entrée principale de l'église Sainte-Croix, église romane de Quimperlé.

comparaison, et je fus étonné en apercevant l'original : Gauguin avait saisi la force nerveuse de la sculpture, en la représentant à l'extérieur de la chapelle, dans un paysage breton vallonné. Derrière la figure émaciée du Christ, une poignée de maisons aux toits en ardoise nichées parmi des arbres automnaux, d'un rouge cuivre ; au pied de la Croix, trois Maries aux visages de paysannes bretonnes.

De Pont-Aven, en allant vers l'est, toujours sur les traces de Gauguin, nous arrivons à la petite station balnéaire du Pouldu, à l'embouchure de la rivière Laïta. La route (D 24) traverse l'estuaire envasé du Belon, l'un des premiers parcs d'ostréiculture en Bretagne, réputé pour ses belons, que vous pouvez goûter dans la ville de Riec-sur-Belon, ou dans les boutiques de dégustation, au bord de la route. Gauguin vint s'installer en 1889 au Pouldu, trouvant Pont-Aven trop peuplé et trop snob. Bien qu'ayant pris une certaine extension depuis, Le Pouldu reste un petit village côtier avec quelques grands hôtels ; c'est à l'auberge de Marie Poupée, l'Hôtel de la Plage aujourd'hui, que Gauguin avait trouvé pension. Dans une lettre à Emile Bernard, il décrit son activité, ou plutôt son inactivité de l'été : « Je me promène, tel un sauvage aux longs cheveux, et ne fais absolument rien ; je n'ai même pas mes peintures ni ma palette ; j'ai fabriqué quelques flèches, que je tire dans le sable, comme si j'étais au pays de Buffalo Bill. »

En 1895, Gauguin quitta définitivement l'Europe, pour passer les huit dernières années de sa vie à Tahiti, puis dans les îles Marquises, où il peignit les magnifiques scènes des mers du Sud qui lui valurent une réputation internationale. En mai 1903, il mourut d'une crise cardiaque, peu de temps après son cinquante-cinquième anniversaire, dans une misère noire, ravagé par la syphilis et pleuré par les autochtones. La toile, *Un village breton sous la neige*, était restée sur son chevalet, elle est aujourd'hui au Louvre. Bien que l'on dise parfois qu'il s'agit de sa dernière œuvre, il s'agirait plus probablement d'une peinture qu'il aurait ramenée d'Europe, comme souvenir nostalgique de ses années passées en Bretagne. Ironie du sort, lors de la vente aux enchères des quelques biens qu'il possédait, le tableau fut présenté la tête en bas et vendu comme une peinture des chutes du Niagara...

La route, au nord, du Pouldu à Quimperlé (D 49) traverse la forêt de Carnoët, l'une des rares étendues boisées du sud du Finistère. Aujourd'hui forêt domaniale, principalement plantée d'hêtres et de chênes, c'était, au VIe siècle, le repaire du légendaire Barbe-Bleu breton, Comorrus, comte de Cornouaille, qui épousa successivement plusieurs femmes et les assassina quand elles se retrouvèrent enceintes. La dernière d'entre elles, Triphine, fille de Waroch, comte de Vannes, décapitée par Comorrus, fut ressuscitée par Gildas, le saint de la localité, qui lui replaça la tête sur les épaules. Elle donna naissance à terme à un fils, Trémeur, qui suivit l'enseignement de Gildas et devint également un saint. Selon une autre version de la même légende, ce serait Trémeur qui aurait été décapité par Comorrus. Quel que soit le crédit que l'on puisse accorder à ces contes, une telle brutalité devait être, même en cet âge barbare, exceptionnelle.

Emergeant de la forêt de Carnoët, vous arrivez sur le quai de pierre de Quimperlé. Le nom de cette ville délicieuse vient de quimper, du breton *kemper*, signifiant confluent. Quimperlé est l'abréviation de Quimper-Ellé ; cette ville est en effet située au confluent de l'Isole et de l'Ellé, rivières qui s'unissent en son centre pour former la Laïta, allant se jeter au sud dans la mer. Selon un vieux proverbe : Si Quimper est le sourire de la Cornouaille, Quimperlé en est le baiser — chauvinisme local sans doute, mais loin d'être injustifié. Quimperlé est constituée d'une vieille ville, la basse ville, construite au confluent des deux rivières qui la traversent, et d'une ville plus récente, la haute ville, édifiée sur la colline regardant vers Pont-Aven, accessible de la rivière par des escaliers abrupts.

La ville s'enorgueillit de son abbaye romane, l'église Sainte-Croix, copie de l'église du Saint-Sépulcre, à Jérusalem. Bâtie en 1083, elle fut restaurée de manière importante au XIXe siècle, après l'effondrement de son clocher. Contrastant avec l'architecture angulaire austère des dernières églises gothiques, l'église Sainte-Croix est entièrement circulaire — la rotonde, comme les absidioles à l'est, au nord et au sud, ainsi que les toits des différentes parties. Les seuls angles droits sont, à l'entrée principale, à l'ouest, ceux du magnifique retable en pierre de la Renaissance, représentant le Christ en gloire, ainsi que les quatre évangélistes.

Derrière l'église Sainte-Croix, se trouvent plusieurs maisons médiévales en bois, notamment la fameuse maison des Archers. La principale église de la haute ville, Notre-Dame-de-l'Assomption, de l'autre côté de la rivière, est un grand édifice gothique, avec une nef du XIIIe siècle et un chœur du XVe ; sa tour carrée a perdu sa flèche car, pendant la Révolution, la couverture en plomb de cette dernière servit à faire des balles.

C'est à Quimperlé que naquit le vicomte Hersart de La Villemarqué, qui fut, au XIXe siècle, le pionnier en littérature de la renaissance bretonne. En 1838, il publia le *Barzaz-Breiz (Chants de Bretagne)*, une collection de quatre-vingts poèmes bretons, à la longueur et au degré de réalisme variables comportant des scènes de bataille de l'époque du roi Arthur, des légendes de saints et de druides, des portraits de paysans, des descriptions lyriques de la campagne.

Adam et Eve sur le jubé du XVe siècle brillamment peint de la chapelle Saint-Fiacre, près du Faouët.

Ce fut le premier livre qui fit prendre conscience au monde extérieur que les Bretons avaient leur propre littérature. Même les Parisiens en furent surpris ; Georges Sand, avec une emphase typiquement romantique, qualifie ces poèmes de « plus grands que *l'Iliade*, plus complets, plus beaux, plus parfaits que tout chef-d'œuvre produit par l'esprit humain ».

Bien que le *Barzaz-Breiz* puisse apparaître comme l'œuvre maîtresse d'un homme mûr et cultivé, La Villemarqué n'avait que 23 ans quand il la publia. Il consacra le restant de sa longue vie à faire connaître cette bible de la langue et de la littérature bretonne. Il mourut en 1895, ayant passé toute son existence dans la demeure familiale, à proximité de Quimperlé.

De Quimperlé, la D 790 mène au nord à le Faouët, traversant une campagne doucement ondulée. Le village de Saint-Fiacre, au sud du Faouët, recèle un véritable

trésor. Cette chapelle à trois flèches, située sur une grande place, frappe par ses imposantes dimensions et son raffinement dans une agglomération aussi petite. A l'intérieur se trouve un jubé, qui, dans l'obscurité, brille comme un bijou à l'intérieur de son écrin. Datant de 1480, de la même époque que la chapelle, il est surmonté d'une figure réaliste du Christ crucifié, au-dessus de celles de la Vierge, de saint Jean, d'Adam et Eve. Au pied de chaque panneau sculpté, un ange aux ailes peintes s'envole, gracieusement. Au dos sont représentés les sept péchés capitaux. La paresse est illustrée par un couple de musiciens jouant de la bombarde et du biniou, le vol par un paysan dérobant un fruit, la convoitise par un autre paysan vomissant un renard de sa bouche. (« Il a bu trop de schnapps », commentait le gardien de la chapelle, à l'intention des visiteurs allemands.)

La partie la plus belle du jubé — du moins selon le gardien — est une scène chaucérienne. Elle montre un renard déguisé en prêtre, en train de prêcher d'une chaire une assemblée de poules, mais (contrairement au Chantecler de Chaucer) elles n'écoutent pas ; elles lui grimpent sur le dos, lui donnant de furieux coups de bec, tandis qu'un coq le tire par le nez, et qu'un canard lui donne un coup de patte. Le nom du sculpteur nous est connu : Olivier Loërgan, et le visage barbu que l'on aperçoit derrière un rideau, au coin gauche supérieur du retable, pourrait bien être son autoportrait.

Il n'y a pas grand-chose à voir au Faouët même, à part de remarquables halles du XVIe siècle, de 50 m de long sur 20 m de large, avec de puissants piliers de bois, et un toit imposant soutenu par de gigantesques poutres. Un peu plus au nord de la ville, on trouve une autre chapelle exceptionnelle, à la fois complémentaire de celle de Saint-Fiacre, et totalement différente. La chapelle de Sainte-Barbe (sainte Barbara), à quelques km sur une petite route transversale, est située sur une étendue de landes onduleuses, surmontant une vallée boisée romantique qui descend abruptement jusqu'à l'Ellé. Construits sur un terrain en pente, les bâtiments s'étagent sur plusieurs niveaux. Au sommet, se trouve la maison du gardien, et juste en dessous le beffroi ouvert, avec une cloche que vous pouvez sonner pour obtenir la bénédiction du Ciel. Du beffroi, un double escalier à balustrade, monumental et assez large pour être emprunté par les processions, mène à la chapelle. Edifiée en 1500 dans un style gothique flamboyant, celle-ci est longue, étroite et dressée sur une corniche peu accessible. La façade principale est décorée d'une série d'énormes gargouilles.

L'intérieur ne présente que peu d'intérêt, à l'exception d'une galerie en bois sculptée d'anges tenant des boucliers. Sous l'autel latéral se trouve l'effigie de sainte Barbe ; on l'invoquait en Bretagne pour se protéger des tempêtes, comme l'indiquent ces vers de mirliton :

Sainte Barbe, sainte Claire,
Préservez-moi du tonnerre
Et du feu de l'enfer.

Selon la légende, la chapelle aurait été construite par un noble de la région pour rendre grâce à Dieu, après avoir échappé à une tempête particulièrement violente.

A droite de la chapelle, de l'autre côté du pont, se dresse, sur un éperon rocheux, un petit oratoire. Tout autour des murs sont fixées des barres de fer, où les pèlerins se balançaient, d'une main à l'autre, au-dessus du ravin, pour le bien de leur âme, au risque de leur vie. Si un condamné à mort réussissait à faire le tour complet, il était gracié. Une autre anecdote racontée autour de sainte Barbe concerne la fontaine du XVIIIe siècle où se rendaient les jeunes filles de la région en quête d'un mari. Elles avaient pour habitude de jeter dans l'eau une épingle ; si celle-ci flottait, elles devaient être mariées dans l'année. Si elle coulait, leur tour n'était pas encore venu.

Du Faouët, prenez en direction du nord-ouest la D 769 jusqu'à Gourin, une ville ouvrière sans prétention esthétique. Un des centres agricoles de la région, Gourin est aussi la capitale des montagnes Noires (qui ne sont plus noires du tout) beaucoup moins lugubres que les Monts d'Arrée, au nord. A cheval sur les trois départements du Morbihan, du Finistère et des Côtes-d'Armor, elles forment, malgré leur petite taille, une barrière bien visible entre la région vallonnée du nord et

La chapelle de Sainte-Barbe du XVIe siècle, près du Faouët, est presque cachée par la pente rocheuse sur laquelle elle se dresse.

les terres agricoles du Finistère méridional. Une route tout en montées et descentes allant de Gourin à Châteauneuf-du-Faou (D 117), serpente pendant 20 km, offrant une vue sensationnelle vers le nord sur les mont d'Arrée. Peu après Gourin, elle passe sous le plus gros rocher escarpé des montagnes Noires, le roc de Toullaëron, culminant à 326 m ; un sentier à droite de la route mène au sommet. A mi-chemin d'une transversale partant du village de Spézet, se dresse la jolie chapelle de Notre-Dame-du-Crann, un bâtiment modeste au petit clocher Renaissance, décoré de têtes ailées des vents gonflant leurs joues. A l'intérieur, on remarque les panneaux de l'autel peints de manière rustique, ainsi que des vitraux du XVIe siècle très colorés. De l'autre côté de la route, on aperçoit un petit calvaire campagnard, typique du genre.

Châteauneuf-du-Faou est une ville sans prétention, entourée de collines. Elle se dresse sur une corniche surplombant l'Aulne, dont le cours, large et profond en cet endroit, constitue une partie du canal de Nantes à Brest. Les pentes boisées qui descendent jusqu'à la rivière seraient, dit-on, hantées par les escadrons du roi Arthur, patrouillant dans les montagnes Noires à chaque fois que la Bretagne est menacée par une guerre. Je garderai toujours un souvenir ému de Châteauneuf, ayant eu, il y a quelques années, la chance d'assister au pardon annuel de Notre-Dame-des-Portes, caractéristique des centaines de pardons ayant lieu chaque année dans la région. La chapelle de Notre-Dame s'élève parmi les arbres dominant l'Aulne ; bien que l'actuel bâtiment hérissé de pointes date principalement du XIXe siècle, il conserve son porche originel du XVe.

Le samedi, tard dans la soirée, nous rejoignîmes la procession éclairée par des chandelles, comme elle sortait de la chapelle dans la chaude nuit d'été. Les fidèles de Châteauneuf, portant des centaines de bougies, étaient suivis des membres du clergé et du chœur, puis des effigies de la Vierge et de l'enfant Jésus coiffées de couronnes d'or. Pendant une demi-heure environ, la procession déambula à travers la ville, jusqu'à l'église paroissiale, avec son mémorial dédié aux 43 victimes de Châteauneuf, fusillées par les nazis, dépassa les boutiques et la fontaine de la ville avant de reprendre le chemin de la chapelle. A la fin de la procession, tout le monde chantait un hymne breton adressé à Notre-Dame des Portes : *« Itron Varia ar Porziou / Klevit mouez ho pugale » (« Notre-Dame des Portes / Ecoute les voix de tes enfants »).* La Vierge fut ensuite ramenée pour la nuit dans la chapelle bien éclairée.

Le dimanche matin, il y avait foule à la chapelle, et l'après-midi, un office en plein air eut lieu devant le bâtiment, les fidèles étant assis sur des sièges près de l'autel, ou bien étendus dans l'herbe. Tout Châteauneuf-du-Faou était là, des nouveau-nés jusqu'aux vieilles femmes aux coiffes étroites, se protégeant par des parapluies des rayons du soleil. La procession repartit alors, la Vierge et l'Enfant étant portés cette fois par dix femmes de la paroisse. Pour finir, le prêtre remercia l'évêque et bénit l'assemblée : la Vierge et l'Enfant reprirent leur place près de l'autel pour une année encore, et les cloches de la chapelle résonnèrent jusqu'à l'autre berge de l'Aulne.

De Châteauneuf, faites 14 km vers l'ouest jusqu'à Pleyben. Cette ville qui, malgré sa petite taille, donne une impression d'espace, possède le plus grand des enclos paroissiaux, situé bien plus au sud que les enclos décrits dans le chapitre précédent. L'église, vaste et magnifique, est surmontée de deux tours qui retiennent immédiatement l'attention ; l'une, à flèche gothique datant du XVe siècle, est reliée à la tourelle d'angle par une galerie aérienne ; l'autre, de style Renaissance du XVIe siècle, est couronnée par un large dôme à lanternons. On remarque, détachée du bâtiment principal, une curieuse sacristie du XVIIIe siècle, tout en courbes, avec ses dômes et ses absides arrondies. A l'intérieur, l'église brille de tous les feux de ses retables peints, de ses sablières sculptées sous le plafond parsemé d'étoiles, et de ses nombreuses statues de saints polychromes. A l'extrémité occidentale se trouve un grand buffet d'orgue.

Saint Germain, à qui cette église est dédiée, ne fait pas partie de la liste des saints bretons. Né vers 380 à Auxerre, au sud-est de Paris, il étudia le droit à Rome et regagna sa

Maison d'un éclusier, à Châteauneuf-du-Faou, au bord de l'Aulne, qui, en cet endroit de son cours, devient une partie du canal de Nantes à Brest.

218
BIZERNIC

ville natale pour faire une brillante carrière de juriste. Réputé pour sa piété autant que pour son érudition, il fut nommé évêque d'Auxerre, sans jamais avoir reçu l'ordination. Mais à l'âge de quarante ans, il abandonna tous ses biens, quitta sa femme et se retira du monde, vêtu de haillons et se nourrissant de cendres et de pain sec. Il avait le pouvoir, disait-on, de chasser les démons, de libérer les prisonniers en faisant se rompre leurs menottes et les barreaux de leurs geôles, et il aurait même ressuscité une jeune personne. Dans la Bretagne d'autrefois, saint Germain avait une réputation plus prosaïque : on l'appelait pour soigner les maux de ventre des enfants.

A l'extrémité occidentale de l'église s'adosse au mur une large croix, que brandit un pasteur douze siècles après la mort du saint patron de Pleyben. Peinte avec la légende « Mission 1676 » , elle fut portée dans toute la Bretagne par le père jésuite Julien Maunoir. Il fut l'un des chefs de la renaissance catholique du XVIIe siècle en Bretagne. Il parcourut la région pendant un demi-siècle, en prêchant les feux de l'enfer aux paysans. De semblables missions continuèrent d'exister jusqu'à la Seconde Guerre mondiale.

Pleyben n'a pas d'arche monumentale, mais à l'ouest de l'enclos paroissial, s'ouvre une petite porte dite porte de la Mort *(porz ar Maro),* sous laquelle étaient transportés les cercueils. L'imposant calvaire, en forme de croix, est d'une grande beauté ; probablement commencé vers 1550, il fut achevé un siècle plus tard. Parmi ses magnifiques sculptures figure une représentation réaliste de la Cène, en si bon état que l'on distingue encore les moindre détails : cochon de lait, fruits, pâté. Le sculpteur, Yves Ozanne, de Brest, avait signé en bas son œuvre, du nom d' « Archetecte » *(sic).* Les femmes, au pied de la Croix, ont les joues humides de larmes, un Ponce Pilate, à l'air digne, porte un turban, et la bouche de l'enfer bâille de façon menaçante.

Continuez vers l'ouest sur la N 167 jusqu'à Châteaulin, une petite ville tranquille sur l'Aulne, aux bords ombragés propices aux promenades. L'Aulne est une rivière à saumon, poisson qui apparaît dans les armoiries de la ville. Durant les siècles précédents, le saumon était si abondant que les ouvriers agricoles de la région avaient stipulé dans leur contrat qu'ils n'en mangeraient pas plus de trois fois par semaine. Après une diminution depuis la Seconde Guerre mondiale, leur nombre est à nouveau en augmentation.

De Châteaulin, en se dirigeant vers l'ouest, la route (D 887) grimpe de façon abrupte à partir de l'Aulne, offrant ainsi un vaste panorama sur la baie de Douarnenez, à gauche, et sur le sommet couvert de landes du Menez-Hom, culminant à 330 m, à droite. Dominant la presqu'île de Crozon, le Menez-Hom est un site protégé qui fait partie du Parc naturel régional d'Armorique. Contrairement au Menez-Bré et à la montagne Saint-Michel, il n'a pas de chapelle en son sommet mais le panorama est beaucoup plus vaste que depuis ces deux hauteurs. La dernière fois que j'y suis monté, des avions du type ULM bourdonnaient, tels des frelons, au-dessus des voitures et des autocars garés là. Pendant la Seconde Guerre mondiale, les Allemands avaient construit des fortifications sur le Menez-Hom, qui comptaient parmi les ouvrages défensifs de la ville de Brest, et vous pouvez encore trébucher sur leurs vestiges au milieu des ajoncs.

Un kilomètre environ avant la montée du Menez-Hom, se dresse la chapelle de Sainte-Marie-du-Menez-Hom, dans le village du même nom. Essentiellement gothique, mais reconstruite vers 1670, elle possède une tour Renaissance des plus fantaisiste ; devant la chapelle, un calvaire usé représente Marie agenouillée au pied de la Croix. On trouve à l'intérieur de la chapelle un retable élaboré, des statues peintes de saint Jean-Baptiste, des apôtres Pierre, Paul, ainsi que d'autres saints, et de superbes sculptures décoratives en bois ; mais comme dans beaucoup de chapelles bretonnes, ces trésors souffrent de l'humidité, et sont souvent vermoulus et laissés à l'abandon. L'état du toit de la chapelle n'améliore pas la situation : le trou formé par la disparition de nombreuses tuiles a été recouvert d'un plastique. La gardienne m'a dit que l'on attendait toujours l'argent pour les réparations, promis il y a des années déjà.

La chapelle a joué un rôle dans la Seconde Guerre mondiale, ayant abrité, dans une pièce à l'arrière, des pilotes britanniques et américains dont les avions s'étaient

L'impressionnant calvaire de Pleyben, dont les sculptures comptent une scène réaliste de la Cène regorgeant de détails.

écrasés en Bretagne. La gardienne m'a raconté comment son frère et elle avaient veillé sur eux, leur apportant de la nourriture et se relayant pour monter la garde. Les aviateurs réussirent à s'échapper et à regagner l'Angleterre, en partant, certains de Camaret, les autres de Brest. A cette époque, le Menez-Hom devait être un endroit inaccessible ; aujourd'hui, du moins pendant l'été, des files ininterrompues de voitures passent rapidement devant la petite chapelle, roulant vers les stations balnéaires de Crozon.

Continuez vers l'ouest le long de la presqu'île, puis au bout de 8 km, tournez vers le nord en direction d'Argol, dont le petit enclos paroissial mérite bien un détour. L'église est du XVIe siècle, tandis que son arc monumental date de 1659. L'arc est surmonté d'un cavalier, que l'on dit être le roi Gradlon. Le cimetière renferme des tombes, la plupart d'entre elles sont construites en granit noir poli, dans un horrible style moderne.

Traversez Argol et coupez la route principale (D 791), puis prenez la D 60 vers l'est jusqu'à Landévennec. Située sur une petite presqu'île boisée enchanteresse, tel un doigt replié dans l'estuaire de l'Aulne, Landévennec est réputée pour son abbaye bénédictine, fondée vers 600 par saint Guénolé, breton d'origine, puisque ses parents avaient émigré en Bretagne. Guénolé eut très tôt la réputation d'un faiseur de miracles ; encore novice, il soigna le pied de l'un de ses compagnons qui avait été mordu par un serpent, et — exploit beaucoup moins crédible — replaça dans son orbite l'œil de sa petite sœur, arraché et avalé par une oie furieuse. Il édifia son monastère après avoir eu une vision de saint Patrick, qui lui était apparu sur la terre concédée par Gradlon, roi d'Ys, converti par ses soins au christianisme.

Les Normands détruisirent l'abbaye au Xe siècle, mais elle ne tarda pas à être reconstruite à une plus grande échelle. Les chapiteaux de l'église romane, décorés de motifs en forme de feuilles entrelacées, dénotent une influence irlandaise. Détruite une seconde fois pendant la Révolution, Landévennec ressuscita après 1950, lorsque les bénédictins, de retour, construisirent une nouvelle abbaye à proximité.

De Landévennec, regagnez la route principale et dirigez-vous, à l'ouest, vers Camaret-sur-Mer, au bout de la presqu'île. La route traverse le petit bourg de Crozon, jumelé à la station populaire de Morgat, dont la vaste plage incurvée regorge d'hôtels. Camaret est la seule ville importante de la presqu'île. Elle possède un joli port protégé par une digue naturelle en galets, le sillon de Camaret. Il donne à la ville son nom breton : *Kameret*, constitué de *kam* signifiant courbe, et de *ero* signifiant sillon ou terre retournée par la charrue. Jusque très récemment, elle était l'un des ports principaux de la pêche au homard, activité aujourd'hui en déclin. L'alignement des carcasses de bateaux qui pourrissent doucement sur la digue au bas du port témoigne de la prospérité passée. Aujourd'hui, Camaret conserve une petite flotte active de bateaux de pêche, mais la plupart de ses ressources proviennent du tourisme, en pleine expansion ; même à la fin septembre, il est parfois difficile de trouver une chambre d'hôtel.

Malgré sa somnolence et son calme actuels, Camaret a connu des moments troublés. En 1694, des troupes d'invasion anglo-néerlandaises accostèrent au sillon pour attaquer la ville, mais furent repoussées. Lors du combat qui eut lieu, un boulet de canon démolit le haut du clocher de la chapelle qui, depuis, n'a toujours pas été réparé.

La chapelle, construite au début du XVIe siècle, est dédiée à Notre-Dame-de-Rocamadour ; bien que vous puissiez être surpris de trouver une chapelle bretonne portant le nom d'une sainte de Dordogne, il existe une explication logique à cela. Au Moyen Age, Rocamadour, qui constituait une halte pour les pèlerins sur la route de Saint-Jacques-de-Compostelle, au nord-ouest de l'Espagne, était également devenu un lieu de pèlerinage. Les voyageurs revenant de Rocamadour se rendaient souvent à Bordeaux ou à La Rochelle, et de là longeaient les côtes septentrionales de la Bretagne, s'arrêtant en cours de route à Camaret, pour venir à la chapelle adresser des prières à la sainte afin que leur voyage s'effectue sans encombre. Notre-Dame -de-Rocamadour protégeait les navigateurs

Vue sur Douarnenez des pentes du Menez-Hom. Ce massif culminant à 330 m garde l'accès à la presqu'île de Crozon.

des naufrages ; d'où le grand nombre de modèles réduits de bateaux en ex-voto suspendus dans la chapelle, placés là par des marins ayant échappé à la mort.

Au bout du sillon, le port de Camaret est gardé par la tour Vauban. Cette petite forteresse polygonale construite en 1689 est très différente des autres fortifications de Vauban. Elle abrite aujourd'hui un musée naval. Au milieu de vieilles cartes et de tout un matériel de plongée, l'attention est attirée par la plaque du *Torrey Canyon*, qui, en 1967, fit naufrage entre le cap Land's End et les îles Sorlingues (encore appelées Scilly), déversant des milliers de tonnes de pétrole dans la mer et polluant une bonne partie des côtes bretonnes. L'héroïsme de Camaret pendant la Seconde Guerre mondiale est illustré par un modèle réduit de smack (semaque), portant cette inscription : « Parmi les pilotes de guerre alliés, dont l'appareil s'est écrasé en France, beaucoup ont été conduits en Grande-Bretagne par le navire *Suzanne Renée* et son valeureux équipage. » Ces pilotes comptaient peut-être ceux de Sainte-Marie-du-Menez-Hom.

Au-delà de Camaret, la puissante pointe de Penhir, la plus centrale des trois pointes de la presqu'île de Crozon, se dresse à 70 m au-dessus de la plage rocheuse. Par temps clair, de la pointe de Penhir, vous avez une vue extraordinaire englobant à la fois la pointe de Saint-Mathieu au-delà de la rade de Brest, et la pointe du Raz, de l'autre côté de la baie de Douarnenez. Derrière le parking, s'élève l'impressionnant monument aux morts de granit, en forme de croix de Lorraine, édifié à la mémoire des Bretons morts au cours de la Seconde Guerre mondiale.

En quittant la presqu'île, revenez sur vos pas et retraversez Camaret et Crozon. A 5 km à l'est de Crozon, prenez à droite la D 887 ; immédiatement après Telgruc-sur-Mer, tournez à nouveau à droite sur la petite route qui longe la côte de la baie de Douarnenez. Ce n'est pas le chemin le plus rapide, mais c'est un charmant parcours pour celui qui n'est pas pressé, avec de nombreuses montées et descentes, et de fréquentes vues sur la mer, qui donne une idée de l'état des routes en Bretagne avant les travaux d'amélioration de ces vingt dernières années. Après avoir dépassé de splendides plages comme Pentrez-Plage, vous arrivez à la chapelle de Sainte-Anne-la-Palud, dont la flèche apparaît au-dessus des dunes herbeuses.

Le port de Camaret est protégé par une digue naturelle, sur laquelle se dressent une chapelle de marins du XVIe siècle, ainsi qu'une petite forteresse du XVIIe siècle.

Saint Hervé, aveugle, conduit par un guide et un chien. Sculpture en granit du XVIe siècle devant la chapelle de Sainte-Anne-la-Palud, un important lieu de pèlerinage.

Cette grande chapelle du XIXe siècle se dresse, isolée, au milieu d'une vaste étendue d'herbes, avec les dunes et les eaux de la baie en arrière-plan. A part le vieux calvaire à l'extérieur, et une statue de sainte Anne — mère de la Vierge Marie — du XVIe siècle, à l'intérieur, cette chapelle ne présente rien de remarquable. Sa fondation remonte au roi Gradlon, sur le site d'une chapelle beaucoup plus ancienne, vénérée pendant des siècles. Tous les mois d'août, l'un des plus importants pardons de Bretagne y est célébré. Une jolie peinture de Charles Cottet, au musée des Beaux-Arts de Rennes, représente le pardon tel qu'il se déroulait il y a un siècle, décrit également une génération plus tôt par le poète Tristan Corbière, de Roscoff, dans son magistral poème, *La Rapsode foraine.*

Dans les années 1870, époque où Corbière écrivait, le pardon rassemblait les fidèles en bonne santé tout autant que les malades, les fous et les estropiés, venus là dans l'espoir de guérir ou tout au moins de recevoir une aumône. Le poème en question dresse un tableau à la Bruegel des participants : fidèles faisant trois fois sur les genoux le tour de la chapelle, tuberculeux et épileptiques, un homme avec une excroissance accrochée à lui comme le gui sur un arbre, une femme et sa fille affligées de la danse de Saint-Gui. Quant à la Rapsode elle-même, elle chante une chanson pour une pièce ou deux. Si vous lui donnez un peu de tabac :

Tu verras dans sa face creuse
Se creuser, comme dans du bois,
Un sourire ; et sa main galeuse
Te faire un vrai signe de croix.

De Sainte-Anne, prenez, à l'intérieur des terres, la route de Plonévez-Porzay, puis continuez jusqu'à la petite ville en pierre de Locronan. L'un des principaux centres touristiques du Finistère, elle mérite sa popularité, bien qu'une restauration excessive en ait fait plus un décor de théâtre qu'une ville authentique. Ses maisons des XVIe et XVIIe siècles furent construites par des marchands qui s'enrichirent en vendant de la toile à voile à la flotte française ; aujourd'hui pimpantes et fleuries, elles ont été en grande partie transformées en ateliers et boutiques pour un artisanat allant de la poterie à la tapisserie, en passant par la sculpture.

Sur la place principale de la ville, se dresse l'église paroissiale du XVe siècle, dédiée au moine irlandais saint Ronan ; contrairement à la plupart des églises bretonnes, assez sombres, elle est baignée de lumière grâce à ses immenses fenêtres, et elle est l'une des rares à posséder une voûte en pierre. Une petite chapelle renferme la tombe vide du saint, surmontée d'une effigie du XVe siècle, tandis que les médaillons de la chaire racontent les principaux événements de sa vie. A Locronan, cela vaut la peine d'explorer les ruelles abruptes, à l'écart de la rue principale ; en bas de l'une d'entre elles, bordée de petites portes basses en granit, on trouve un joli lavoir en pierre, où, avant l'invention de la machine à laver, les femmes de la ville allaient frotter leur linge, tout en bavardant.

Locronan a un pardon spécial, connu sous le nom de Grande Troménie, qui se déroule une fois tous les six ans, le troisième dimanche de juillet. La procession s'achemine à travers la campagne jusqu'à la chapelle située au sommet de la montagne de Locronan, à l'est de la ville, s'arrêtant en cours de route à tous les autels dressés pour l'occasion — et il n'y en a pas moins de quarante-quatre. Les autres années se déroule à Locronan une plus petite cérémonie, la Petite Troménie.

Il n'existe pas de plus grand contraste entre deux villes que celui qui apparaît entre le centre touristique de Locronan et la cité ouvrière de Douarnenez, à 10 km à l'ouest. Douarnenez est l'un des principaux ports de pêche de France, il est construit sur une petite presqu'île, baignée d'un côté par les eaux de la baie de Douarnenez, et de l'autre, par le profond estuaire de Port-Rhu, qui est le vieux port de pêche. Son centre ouvrier s'est déplacé de Port-Rhu jusqu'au Nouveau Port, construit sur la baie, avec de massifs entrepôts et magasins réfrigérés. De l'autre côté de l'estuaire, s'étend la seconde moitié de Douarnenez, plus petite, comprenant la station balnéaire de Tréboul avec son petit port de plaisance, ainsi que les meilleures plages des environs.

Le nom étrange de cette ville a donné lieu à plusieurs hypothèses quant à son origine. Selon certaines, il proviendrait de Tutuarn Enez, l'île de Tutuarn, du nom d'un ermite qui s'y serait, au VIe siècle, construit une cellule. Il pourrait également venir du breton Douar Nevez, la Terre nouvelle apparue quand la ville d'Ys du roi Gradlon fut engloutie par la mer. Sur la bouche de l'estuaire, se trouve l'île boisée de Tristan, nom d'un personnage célèbre d'une autre légende celtique. Tristan, l'amant d'Iseult et le héros d'un opéra de Wagner, aurait

La façade ouest de l'église du XVe siècle de Locronan, petite ville aux jolies maisons marchandes.

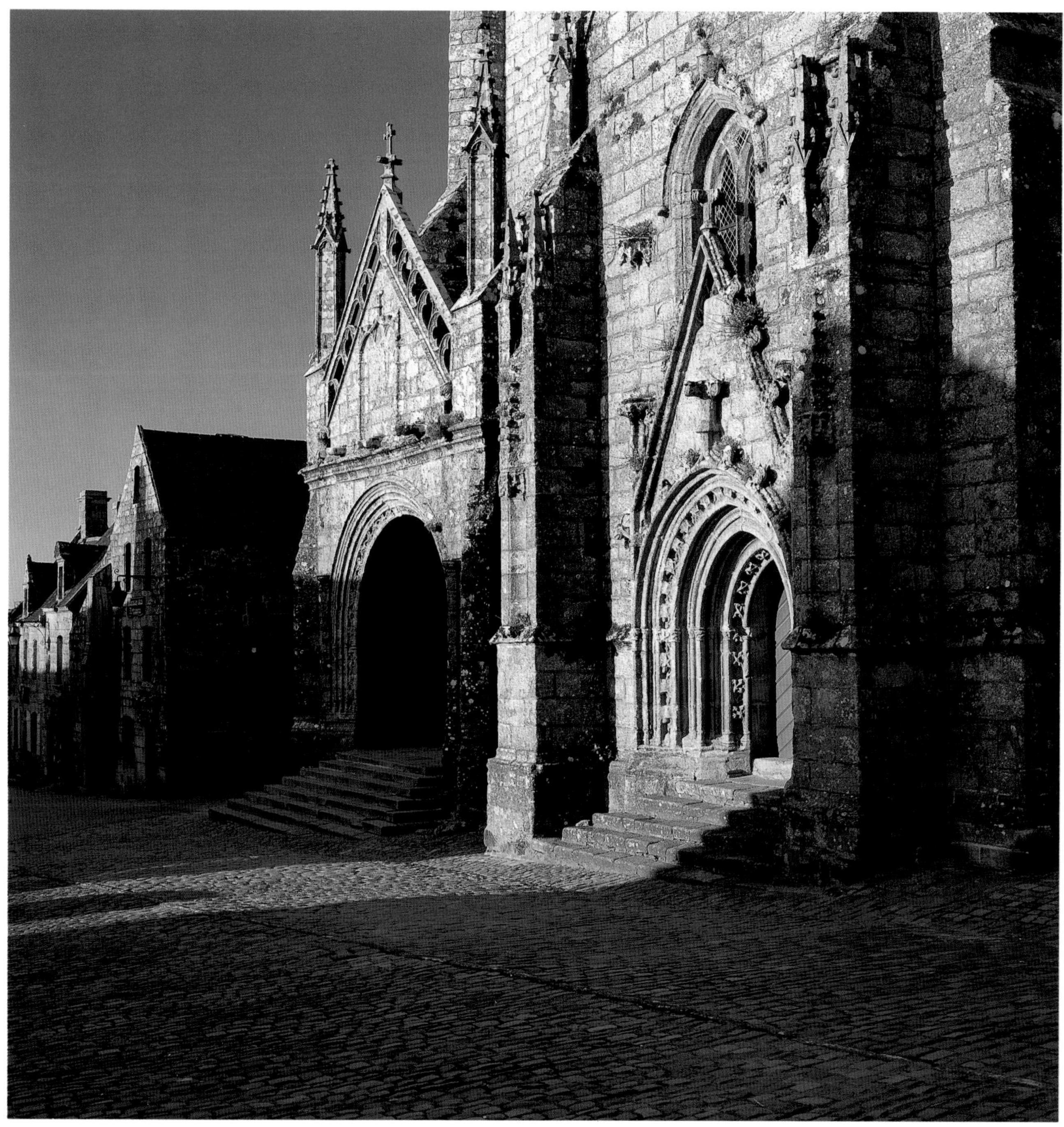

reçu l'île du roi Marc, dont le palais était à Douarnenez — bien que les Cornouaillais et Wagner le situent non pas en Bretagne, mais en Cornouailles.

A la fin du XVIe siècle, l'île Tristan servit de forteresse à l'infâme Guy Eder de La Fontenelle, le plus cruel de tous les chefs de bande produits par les Guerres de Religion en France. Se battant en apparence pour la Ligue (Ligue de catholiques fanatiquement anti-protestants), La Fontenelle ne tarda pas abandonner tous les principes religieux qu'il avait pu avoir pour se consacrer au meurtre et au pillage. Après avoir dévasté l'intérieur de la Cornouaille, il s'empara en 1595 de l'île Tristan, dont il fit son quartier général pour mettre à sac les villes et les villages de toute la côte. Sa carrière sanguinaire se poursuivit jusqu'en 1602, où il fut capturé, et condamné à mourir par le supplice de la roue à Paris.

Ces dernières années, Douarnenez a fondé un remarquable musée maritime consacré aux bateaux de pêche en bois qui, à une époque, assuraient sa subsistance. Le musée du Bateau, situé le long du quai de Port-Rhu, se dresse au milieu d'une jolie place, appelée, on ne sait pourquoi, place de l'Enfer. Logé dans une conserverie de sardines reconvertie, il abrite plus de deux cents petits bateaux, de multiples tailles et formes, de diverses origines et périodes — fragments vieux de 8000 ans, pirogues recouvertes par le marais breton, un bateau de pêche portugais aux formes incurvées qui semble tout droit sorti d'un papyrus égyptien, un bateau des bas-fonds du golfe du Morbihan du nom de *sinago*, avec une paire de voiles latines de couleur brune, semblables à celles d'un *dhow* arabe. Bien que l'essentiel de la collection consiste en des bateaux de pêche, on peut voir d'autres embarcations plus légères comme un skiff, et une ou deux vedettes d'époque.

Quittez Douarnenez par la D 765 et dirigez-vous vers Pont-Croix, à 20 km vers l'ouest. Faites une halte au village de Confort-Meilars pour visiter la chapelle du XVIe siècle, célèbre pour son extraordinaire roue à carillon : c'est une roue en bois avec douze clochettes, accordées selon différents tons et accrochées au pourtour. La gardienne vous laissera tourner la roue ; le carillon discordant sonne-t-au rythme du tempo de jazz. Ce carillon daterait de la fondation de l'église et aurait, sonné au-dessus de la tête des enfants bègues ou muets, le pouvoir de guérir les déficiences verbales. La splendide fenêtre du XVIe siècle à l'est a la forme d'un arbre de Jessé, avec des panneaux représentant des sages aussi obscurs que Joram, Abiam, Asa et Joas. Les sablières au-dessus du carillon sont sculptées de toutes sortes d'étranges figures, dont des têtes de mandarins chinois et un couple d'Incas.

Pont-Croix est une petite ville médiévale endormie s'étageant au bord du Goyen, où mènent d'abruptes rues pavées. Elle fut l'une des villes mises à sac par La Fontenelle vers 1590. La vaste église, mi-romane, mi-gothique, possède une tour gigantesque avec une flèche de 70 m de haut, ainsi qu'un élégant porche gothique flamboyant à l'extrémité occidentale. Les hauts piliers de la nef, s'écartant de leur base, contrastent par leur magnificence avec les fonts baptismaux de style Renaissance, plus gais, sculptés de chérubins faisant des cabrioles.

De Pont-Croix, dirigez-vous vers le nord, en prenant les petites voies de campagne jusqu'à la route de la côte (D 7) et à la réserve ornithologique du cap Sizun. Au bout d'une petite chaussée à proximité du village de Goulien, le cap Sizun est d'un accès suffisamment difficile pour ne pas être envahi, même en plein été. La réserve fut fondée en 1958 par l'ornithologue breton Michel-Hervé Julien après le massacre d'oiseaux de mer par des touristes sur une île proche du littoral et devant la menace de la construction d'une route le long de la côte, projet qui heureusement ne se réalisa jamais.

Les puissantes falaises et profondes anses de cette côte rocheuse fournissent des refuges idéals aux mouettes, guillemots, cormorans, pétrels et autres oiseaux de mer. La réserve est ouverte de la mi-mars à la fin août, ce qui englobe à la fois la période de reproduction et celle où les oisillons sont nourris dans les nids.

A l'ouest du cap Sizun, la Cornouaille se termine par la pointe du Raz, le bout de la Bretagne. Après une descente jusqu'à la baie des Trépassés, la route remonte vers le village de Lescoff avant d'arriver à la Pointe. La baie est

Bateaux de pêche dans la baie de Douarnenez, qui reste l'un des principaux ports de pêche en France.

Anciens bateaux de pêche reposant dans la boue de l'estuaire du Goyen près d'Audierne.

ainsi nommée d'après la croyance celtique selon laquelle les âmes y étaient embarquées pour les Iles de la Mort, situées quelque part loin vers l'ouest, ou plus probablement à cause des marins noyés dans les dangereux tourbillons des courants entourant le promontoire. Elle possède une merveilleuse plage orientée vers l'ouest, et un grand hôtel, qui n'est pas au niveau de la qualité du site. Dans les années 1870, l'actrice Sarah Bernhardt (1844-1923) venait souvent dans la baie pour y dessiner, et elle évoque avec nostalgie dans ses Mémoires un temps où la Bretagne « n'était pas sillonnée de routes, où ses vertes pentes n'étaient pas parsemées de petites villas blanches, où ses habitants — les hommes — n'étaient pas vêtus d'abominables pantalons modernes, et les femmes ne portaient pas de misérables petits chapeaux à plumes ».

La description que ferait aujourd'hui de la pointe du Raz la divine Sarah n'est pas difficile à imaginer (bien qu'elle n'aurait plus à se soucier des chapeaux à plumes). C'est maintenant un piège à touristes avec ses vastes parkings, ses boutiques à bibelots, ses cafés, son gazon usé par le piétinement de centaines de milliers de pieds, les pneus des voitures et des motocyclettes. Une statue de Notre-Dame-des-Naufrages se dresse sur le promontoire au-dessus des rochers escarpés de la pointe, regardant par-delà le raz de Sein au flot rapide (*raz* a la même racine que le mot anglais *race*) vers l'île de Sein que l'on aperçoit aplatie à l'horizon.

S'élevant à peine à plus d'un mètre au-dessus de la mer à marée haute — si basse que les maisons semblent presque flotter — et entourée de récifs, l'île de Sein est l'une des plus mystérieuses îles proches du littoral de Bretagne. L'île des Morts des druides resta païenne jusqu'au XVIIe siècle, mille ans après la conversion du reste de la Bretagne. Elle connut un grand moment historique en 1940, quand tous les hommes en âge de combattre, 130 au total, quittèrent Sein pour rejoindre les forces françaises de libération du général de Gaulle en Angleterre. Passant en revue son premier petit contingent de 500 hommes, De Gaulle fit ce commentaire célèbre : « Sein est donc le quart de la France ». Si l'on croit à la théorie du réchauffement de la Terre, l'île de Sein serait condamnée, étant l'un des premiers endroits destinés à disparaître sous les vagues, avec la fonte des calottes glaciaires...

Le bateau pour Sein part d'Audierne, à 15 km de la pointe du Raz sur la D 738, et longe la côte méridionale. Audierne est un port de pêche à l'air opulent avec ses rangées de belles maisons sur le front de mer, coupé en deux par l'estuaire du Goyen. Cependant, sa prospérité appartient bien au passé ; autrefois port important de pêche au thon, Audierne vit aujourd'hui de la pêche du homard et de la langouste, ainsi que du tourisme en pleine expansion.

D'Audierne, continuez la route côtière jusqu'à Plozévet. Sur la place principale, en face de l'église, est érigé un

Ces opulentes maisons du front de mer, à Audierne, datent de l'époque florissante où la ville était un important port de pêche au thon.

PHOTO André
Boulangerie
Bar
Patisserie

Cette statue en bronze moderne dressée sur la place de Plozévet montre un couple de musiciens jouant de la bombarde et du biniou.

groupe sculpté en bronze, très réaliste, représentant un couple de musiciens jouant du hautbois et de la cornemuse, réalisé par le sculpteur René Quillivic. L'église du XVIe siècle se dresse sur une pente, ce qui explique que l'on accède à son portail occidental par une volée de six marches. Plozévet est la seule ville de ma connaissance à avoir sa propre réserve d'eau ; le portail sud est au-dessus d'une source, au bord de laquelle se trouvent des cuves pleines. Il ne fait aucun doute que l'église, fondée lors de la conversion de la Bretagne au christianisme, a été construite sur une source dédiée à quelque esprit celte des eaux .

A côté de l'église de Plozévet, le mémorial de la Seconde Guerre mondiale montre la sculpture d'une mère affligée portant la haute coiffe du pays bigouden — nom donné à la région du Finistère qui se trouve au sud-ouest de Quimper. Bien que ses frontières soient imprécises, elles s'étendent vers le sud de Plozévet jusqu'à la pointe de Penmarc'h, avec Pont-l'Abbé pour capitale. La vie de cette région balayée par les vents, à la lumière vive, parsemée de petits villages ordinaires, a été immortalisée par l'écrivain breton Pierre-Jakez Helias, né peu de temps avant la Première Guerre mondiale dans le petit village de Pouldreuzic, à 6 km de Plozévet.

Dans son livre *Le Cheval d'orgueil* (1975), Helias conte la chronique de la vie de ses ancêtres, sans aucune sentimentalité et avec une grande abondance de détails. Il décrit le travail interminable de ses parents dans les champs autour de Pouldreuzic, la construction, l'achat et la vente des maisons, le riche héritage de culture et de contes bretons transmis par son grand-père. Le titre du livre trouve son origine dans la fierté que celui-ci tirait de ses traditions, mais dont le jeune Helias découvrit l'insignifiance sur les bancs d'une école où un élève surpris à parler breton plutôt que français était puni, et dans un univers élargi où la pierre de touche de l'existence n'était plus Pont-l'Abbé mais Paris. La plupart des maisons où grandirent Helias et ses amis sont malheureusement en ruine ou reconstruites. Le livre s'achève sur la vision d'un futur (futur proche, si ce n'est déjà un présent) où les paysans auraient tous émigré dans les villes, tandis que leurs employeurs leur rachèteraient leurs fermes pour redécouvrir les joies de la vie campagnarde et d'une alimentation saine.

Juste au sud de Pouldreuzic, à la sortie du village de Plovan, dans une région de dunes et de lagunes, se trouve la chapelle en ruine de Languidou, l'un des bijoux de l'architecture romane en Bretagne. Elle fut construite autour de 1260, et subit d'importantes modifications au XVe siècle pour être ensuite pratiquement démolie pendant la Révolution, époque où un grand nombre de ses pierres servirent à la construction d'un fort sur la côte. Bien que ses vitraux aient disparu depuis longtemps, les ajours raffinés de sa rosace sont encore parfaitement intacts.

Le phare d'Eckmühl sur la pointe de Penmarc'h, à l'extrémité méridionale de la Cornouaille. La côte est ici bordée de dangereux récifs.

La chapelle de Languidou, près de Plovan, construite au XIIIe siècle et détruite pendant la Révolution.

De retour sur la D 2, tournez à droite dans Plonéour-Lanvern sur la D 57, et dirigez-vous vers la chapelle isolée de Notre-Dame-de-Tronoën. Dressé sur des dunes, à peine à une centaine de mètres de la mer, cet édifice du XVe siècle est d'un style gothique simple, typique de nombre d'églises bretonnes. Mais le calvaire à ses côtés, sculpté vers 1465 et estimé le plus vieux de Bretagne, est tout à fait exceptionnel. Couvertes de lichens et rongées pendant des siècles par le vent soufflant de la baie d'Audierne, ses sculptures de la Cène et de la Crucifixion n'ont jamais été restaurées. Parmi elles se trouve une Vierge au sein nu allaitant l'enfant Jésus. Contrairement aux vierges de La Martyre et d'ailleurs, celle-ci a échappé aux mutilations, sauvée très certainement par l'isolement de Tronoën.

De Tronoën, la route serpente et, longeant la mer, traverse le village de Saint-Guénolé, qui possède un petit musée de la préhistoire, et aboutit à la pointe de Penmarc'h (prononcer Penmar). Juste avant la pointe, elle passe devant l'une des plus jolies chapelles bretonnes, au nom délicieux de Notre-Dame-de-la-Joie ; construite sur une petite crique, c'est une véritable chapelle de marins. La pointe de Penmarc'h n'est pas vraiment un promontoire, bien qu'elle ait un phare pour écarter les marins des récifs s'étendant loin dans la mer, à marée basse. On peut apercevoir, non loin du littoral, un rocher tapissé d'algues en forme de tête *(pen)* de cheval *(marc'h)*, qui a peut-être donné son nom à la pointe.

Le village de Penmarc'h est un peu plus à l'intérieur des terres ; baignant aujourd'hui dans une atmosphère de délabrement et de somnolence, c'était autrefois l'une des principales villes portuaires de Bretagne, et sa grande église en gothique flamboyant remonte à une époque plus florissante. En 1595, les vandales aux ordres de La Fontenelle pillèrent la ville, enfermèrent 3000 personnes dans l'église et les massacrèrent. Après de telles horreurs, Penmarc'h ne retrouva jamais plus sa prospérité passée.

De Penmarc'h, prenez la D 53 vers l'est jusqu'à Loctudy. Cette petite station balnéaire familiale, située au bord d'un estuaire parsemé d'îles, possède l'une des rares églises romanes de Bretagne, construite au début du XIIe siècle, mais dissimulée derrière une façade du XVIIIe. Elle doit son nom à saint Tudy, qui aurait, dit-on, construit au Ve siècle un ermitage à cet endroit, après être venu de Grande-Bretagne. Les colonnes intérieures, serrées les unes contre les autres, ont des chapiteaux ornés imitant, grossièrement pour la plupart, le style corinthien classique, bien que certains soient décorés de curieux visages humains stylisés ; plusieurs colonnes ont des bases sculptées d'hommes et de femmes nus.

Rendez-vous ensuite à Pont-l'Abbé, une tranquille petite ville au bord de l'eau, qui doit son nom au pont construit au Moyen Age par les abbés de Loctudy. Le château médiéval qui domine la place principale sert à la fois de mairie et de musée, le musée Bigouden, consacré aux meubles et aux costumes de la région. La haute coiffe bigoudenne portée encore par quelques vieilles femmes a atteint sa taille actuelle, impressionnante, (32 cm) durant les premières décennies de ce siècle. On dit que les toits des bus bigoudens furent surélevés pour pouvoir accueillir les porteuses de ces coiffes, et que leur hauteur, masquant la vue, fut cause de multiples incidents le jour où elle firent leur apparition dans les cinémas.

L'intérieur de l'église romane de Loctudy. Les chapiteaux et les bases des colonnes, serrées les unes contre les autres, sont décorés de sculptures fantaisistes.

N
Scorff
Blavet
Canal de Nantes à Brest
Josselin
Ploërmel
Baud
Locminé
Kerguéhennec
Bignan
Tarun
Hennebont
Morbihan
Landes de Lanvaux
Saint-Marcel
Malestroit
Lorient
Oust
Port-Louis
Etel
Sainte-Anne d'Auray
Saint-Cado
Auray
Vannes
Rochefort-en-Terre
Malansac
Erdeven
Ile de Groix
Plouharnel
Redon
Carnac
Carnac-Plage
La Trinité-sur-Mer
Muzillac
Presq'île de Quiberon
Baie de Quiberon
Presqu'île de Rhuys
Quiberon
Sauzon
Le Palais
Belle-Ile
Bangor
Locmaria
Bono
Arradon
Baden
Port-Blanc
Ile d'Arz
Larmor-Baden
Ile Gavrinis
Ile aux Moines
Golfe du Morbihan
Locmariaquer
Pointe de Kerpenhir
Port-Navalo
Crouesty
Sarzeau
Saint-Gildas de Rhuys
0
10
20 km

5
Le Golfe du Morbihan

Vannes — Auray — Carnac — Quiberon — Belle-Ile — Lorient

Ile de Groix — Josselin — Ploërmel — Presqu'île de Rhuys

La vénérable cité de Vannes domine le golfe du Morbihan, mer intérieure parsemée de douzaines d'îles boisées, à la différence de toutes les autres régions de Bretagne. C'est le chef-lieu du département du Morbihan, haute fonction qu'elle assume sans pompe particulière. A bien des points de vue, Vannes peut se comparer à Quimper, mais tout y est à moindre échelle — du moins dans la partie médiévale, qu'on appelle l'intra-muros (comme à Saint-Malo). Même le long rempart du Moyen Age, avec ses tours et ses mâchicoulis, a été domestiqué par l'implantation à ses pieds, dans les douves asséchées, de grands jardins municipaux à la française. Cette combinaison typiquement bretonne de murs de pierre grise et de parterres de fleurs aux couleurs vives est le premier aperçu qu'on a en général de la ville.

Vannes tire son nom des Vénètes, puissante tribu gauloise que vainquit Jules César en 56 av. J.-C. Sous la domination romaine, c'était le point de départ d'un réseau de routes rayonnant sur toute la Bretagne ; et c'est ici qu'au IXᵉ siècle, Nominoë, le premier dirigeant de la Bretagne, proclama l'indépendance de son pays. Sept cents ans après, ou presque, ce fut la fin de cette indépendance quand, en 1532, les Etats de Bretagne optèrent pour la réunion à la France. Après 1675, la ville fut pendant quelques années le centre administratif de la Bretagne, lorsque Louis XIV transféra les Etats de Rennes à Vannes.

Plusieurs ouvertures aménagées dans les fortifications donnent accès à la vieille ville, mais le meilleur point de départ est en bas, près du port, où l'on trouve beaucoup de place pour stationner. Du front de mer, gagnez le demi-cercle régulier de la place Gambetta, traversez-la, et passez sous la porte Saint-Vincent, édifiée dans un élégant style Renaissance sur un site ancien. Elle doit son nom à saint Vincent Ferrier, saint patron de Vannes dont la statue se dresse, le bras levé en un geste de bénédiction, dans une niche au-dessus de l'entrée. C'est un fait étrange que ce soit un Espagnol, et non un Breton, qui soit le saint patron d'une des plus importantes villes de Bretagne. Mais il fut prédicateur à Vannes et y mourut. La cathédrale abrite sa tombe et son reliquaire.

La place Valencia, au cœur du Vannes moyenâgeux, est un hommage à la ville espagnole où est né Vincent Ferrier vers 1350. Pendant des décennies, il a prêché dans toute l'Europe, rétablissant l'unité de l'Eglise catholique romaine à une époque où elle était menacée de schisme. A son arrivée en Bretagne, en 1416, il passa quelque temps à Nantes avant de reprendre la route pour Vannes où il fit son entrée, selon le récit du père Albert Le Grand *« monté sur un meschant asne »*. De Vannes, il circula dans toute la Bretagne, prêchant à l'intention « des grands, des sages et des fous » ; en 1419, il tomba gravement malade dans la ville et mourut peu de temps après, en présence de la duchesse de Bretagne, pleuré par tout son entourage. Voici comment le père Albert décrit le miracle plein de poésie qui accompagna sa mort :

« On vit un grand nombre de papillons blancs d'une merveilleuse beauté voleter près de la fenêtre de sa chambre, et ils ne le quittèrent pas jusqu'à ce qu'il eût rendu l'esprit. Les dévots crurent que c'étaient des anges qui, sous l'aspect de ces petites créatures, attendaient la délivrance de son âme pour l'escorter vers la vie éternelle. »

La cathédrale est située en haut de la ville. On y accède par des rues étroites et de petites places tracées au hasard dans un désordre médiéval. Les plus belles voies, bordées de maisons à colombage, sont maintenant piétonnières, ce qui permet de prendre du recul pour contempler à l'aise les sculptures des maisons anciennes. La plus célèbre d'entre elles, au coin de la place Valencia et de la rue Noé, est surnommée : Vannes et sa femme. C'est une joyeuse sculpture de bois peint représentant un couple de bourgeois grassouillets qui regardent avec un air béat les cafés et les boutiques de bibelots en contrebas. Toutefois, rue Noé, le château Gaillard, magnifique édifice public du Moyen Age, abrite le musée de la Préhistoire. Géré par un organisme au nom sonore, la Société polymathique du Morbihan, il regorge d'instruments de pierre, certains remontant à 400 000 ans, de céramiques décorées, de colliers en turquoise, d'épées et de javelots en bronze, et de pièces de monnaie primitives, tous objets s'échelonnant du paléolithique à l'âge de fer.

Remontez la rue des Halles vers la rue Saint-Salomon. Sur votre droite, vous trouvez l'ancien marché couvert, connu sous le nom de la Cohue, qui comprend tout l'îlot entre la rue des Halles et le parvis de la cathédrale. Construit par étapes à partir du XIIIe siècle, il se composait à l'origine du marché au rez-de-chaussée et de la salle du tribunal au-dessus. Quand les Etats furent transférés à Vannes, l'étage supérieur devint le siège du Parlement ; pendant la Révolution, on en fit un théâtre qui fonctionna jusqu'en 1940. Depuis, la Cohue a été restaurée et transformée en un remarquable musée-galerie d'art qui regroupe les collections présentées auparavant aux Beaux-Arts et celles du musée du Golfe. Cette conversion, réalisée avec beaucoup d'imagination, a laissé apparentes les grandes poutres médiévales au-dessus des murs de verre qui séparent les nouvelles salles d'exposition.

La fierté de la collection permanente est une *Crucifixion* de Delacroix (1798-1863) ; mais la Cohue est plus riche en scènes de la vie bretonne qu'en grandes œuvres d'artistes internationaux. Une gravure caractéristique de ce genre est *L'Enterrement* du Vannetais Jean Frélaut, qui produisit des centaines de gravures pendant la première partie de ce siècle. C'est une sombre scène de procession funèbre cheminant dans une triste campagne sous un ciel bas ; derrière le cercueil que tire un cheval fouetté par le vent, se traînent famille et amis, les hommes d'abord, puis les femmes, tous vêtus de noir et l'air affligé. C'est un aspect de la vie paysanne d'autrefois qu'ignore l'école idéaliste bretonne. Dans sa section réservée à la vie locale, la Cohue présente, entre autres objets et documents, ceux qui ont trait à l'huître, sa vie et ses époques, au *sinago* (bateau à fond plat qu'on ne trouve que dans le golfe du Morbihan), aux moulins à marée qu'on a construits tout autour du golfe depuis le Moyen Age jusqu'au XIXe siècle, et à la géologie, aux oiseaux et aux animaux de cette région fascinante.

La cathédrale de Vannes, face à l'entrée principale de la Cohue, offre un mélange de styles allant du XIIIe siècle roman pour la tour du nord-ouest, à la décoration Renaissance de piliers et de coquilles extérieurs pour l'étrange tour ajoutée au XVIe siècle sur le flanc nord de la nef. Une rotonde renferme la tombe et les restes de saint Vincent. Sur les murs sont suspendues des tapisseries tissées en 1615 représentant les guérisons miraculeuses opérées par le saint. La chapelle située exactement à l'opposé est dédiée au bienheureux Pierre-René Rogue, prêtre né à Vannes en 1758. Pendant la Révolution, quand le culte catholique fut officiellement interdit, Rogue continua à célébrer des services religieux en secret, bien que pourchassé par la police. Il fut arrêté en 1795, jugé et guillotiné. En ce temps-là, la communauté était si étroitement liée que Rogue connaissait le bourreau depuis des années, et lui avait

Le rempart médiéval de Vannes s'élève au-dessus de parterres de fleurs entretenus avec goût. A l'arrière-plan, le long toit de la cathédrale.

enseigné le catéchisme. En 1934, il fut béatifié par le pape Pie XI et ses restes furent transportés à la cathédrale.

Revenez, par la porte Prison, la plus intéressante des ouvertures fortifiées du Moyen Age, aux remparts que vous longerez. Cette flânerie de dix minutes vous donnera une bonne idée du resserrement de la vieille ville et vous permettra de voir un site amplement photographié, les lavoirs médiévaux ouverts sur ce qu'il reste de la douve d'origine remplie d'eau. La limite occidentale du vieux Vannes est marquée aujourd'hui par la rue Thiers, totalement rectiligne, qu'on perça dans l'ancien centre au XIXe siècle et où sont situés la plupart des édifices municipaux.

Le Vannes industriel d'aujourd'hui s'est considérablement étendu jusqu'à la rocade et au-delà. Parmi les médiocres constructions en béton ressortent quelques intéressantes réalisations, notamment l'élégant aquarium moderne, à un kilomètre au sud de la vieille ville, dominant le côté occidental du port. C'est une surprenante pyramide blanche où l'on entre par un portique d'un vert cru ressemblant quelque peu à la bouche ouverte d'un poisson. Il contient la plus riche collection d'espèces tropicales de toute l'Europe. On y trouve aussi un bassin de gymnotes dont les décharges électriques, quand on les a suffisamment excités, ont assez de puissance pour faire fonctionner tout un circuit électrique ; enfin, un crocodile, découvert il y a quelques années dans les égouts de Paris, vit là. Le restaurant de l'aquarium passe pour le meilleur de Vannes.

La route qui, de Vannes contourne le nord du golfe du Morbihan (la D 101), prend cette direction générale à son départ. Vous pouvez passer une journée agréable à musarder autour des villages de lagune comme Arradon, Port-Blanc, Larmor-Baden avec des échappées magiques à perte de vue sur les grandes et petites îles quand vous longez les franges de la mer intérieure. De Port-Blanc et Larmor-Baden, des vedettes partent pour deux des principales îles, l'île aux Moines et l'île de Gavrinis. L'île aux Moines — ainsi appelée à cause des moines qui s'y fixèrent au IXe siècle — est la plus grande des îles du golfe, bien connue pour la douceur subtropicale de son climat. Dans la minuscule île de Gavrinis est située l'une des plus imposantes allées couvertes néolithiques du Morbihan datant d'environ 3000 av. J.-C. , faite d'une cinquantaine d'énormes dalles de granit. De nombreux supports du couloir menant à la chambre funéraire sont sculptés de serpents stylisés, flèches et autres dessins symboliques évoquant des empreintes de géants. Ces sculptures ont été réalisées par piquetage sur le granit au moyen d'éclats de quartz durs comme le diamant, retrouvés en grand nombre au pied de la tombe.

D'un usage courant jusque récemment, les lavoirs médiévaux de Vannes se reflètent dans ce qui reste de la douve qui entourait la ville.

Casiers à huîtres à marée basse à Larmor-Baden, l'un des villages de lagune qui entourent le golfe de Morbihan, mer intérieure de Bretagne, parsemée d'îles.

De Larmor-Baden, dirigez-vous vers Auray, au nord, en passant par Baden et Le Bono, avec un arrêt pour jouir de la splendide vue sur l'estuaire qu'offre le haut pont du Bono. Auray est une ville installée sur deux niveaux : en bas, près de la rivière, son port médiéval de Saint-Goustan est bordé de maisons à colombage et de cafés au bord de l'eau ; de

Sculptures néolithiques sur les supports d'une tombe-galerie sur la petite île de Gavrinis, dans le golfe du Morbihan. La construction, l'une des mieux préservées de ce genre, date d'environ 5000 ans.

l'autre côté de la rivière, il s'agit de la ville d'Auray à proprement parler, à laquelle on accède, après avoir traversé le Loch sur un joli pont médiéval, soit par une route escaladant à pic la colline, soit par un sentier ombragé zigzaguant de la rive jusqu'en haut de la colline.

Une plaque apposée sur une maison ancienne de Saint-Goustan rappelle la visite en 1776 de Benjamin Franklin qui débarqua à Auray pour aller à Paris négocier un traité entre la France et les Etats-Unis. Son voyage le fit passer par Vannes qu'il n'apprécia pas, comme le montre clairement son journal : « *Une misérable voiture traînée par des chevaux fatigués, dans l'obscurité du soir, sur une route où ne passait guère d'autre voyageur que nous ; et pour mettre le comble à notre plaisir, le conducteur s'arrêta près d'un bois que nous allions traverser et nous raconta qu'il était infesté d'une bande de dix-huit brigands qui, seulement deux semaines auparavant,en cet endroit précis, avaient volé et assassiné des voyageurs.* »

Le quartier commercial d'Auray se trouve juché au sommet de la colline, autour de la grande église du XVIIe siècle. Cette ville du haut n'a rien de particulièrement remarquable, sauf, peut-être, les curieuses petites villas du XIXe siècle sur la route de la gare.

Auray, ce lieu si paisible et somnolent, a eu un passé belliqueux. En 1364, la bataille d'Auray, qui se déroula hors de la ville, mit fin à la Guerre de Succession et désigna l'héritier du duché de Bretagne. Le vainqueur fut Jean IV de Montfort, qui fonda le sanctuaire du Folgoët.

Une campagne plus tardive est commémorée juste au nord d'Auray dans un champ appelé maintenant le Champ des martyrs. Ce rectangle d'herbe, avec un petit temple à l'une de ses extrémités, fut le théâtre d'atrocités perpétrées vers la fin de la Révolution. Après la défaite des Chouans (insurgés royalistes de Bretagne et de Vendée) à Quiberon en 1795, plus de 200 d'entre eux furent sommairement jugés, emmenés au Champ des martyrs et fusillés.

A 6 km d'Auray, sur la D 17, Sainte-Anne-d'Auray est en quelque sorte son rejeton religieux. Le plus grand pardon de la Bretagne centrale s'y déroule à la fin de juillet. Il doit sa renommée à une statue miraculeuse de sainte Anne, la mère de la Vierge, déterrée par un fermier de la région en 1623. On construisit aussitôt une chapelle sur le site, à laquelle succéda vers 1860 la vaste basilique que nous connaissons. En face, on a prévu un immense espace libre pour de vastes rassemblements et on a érigé un mémorial aux 250 000 Bretons tués lors de la Première Guerre mondiale. L'ensemble est d'une énormité effrayante, exécuté à une échelle qui, heureusement, n'a été reprise nulle part ailleurs en Bretagne.

La route partant d'Auray vers le sud vous mène à une partie de la Bretagne plus riche en vestiges préhistoriques qu'aucune autre zone d'une aussi petite dimension en Europe. Pendant plus de 2500 ans, à partir de 4500 environ av. J.-C., la grande civilisation mégalithique de l'âge de

Porche Renaissance du XVIIe siècle, église de Saint-Gildas, à Auray. Dans la niche du haut, le saint lève la main dans un geste de bénédiction.

L'ARMORIC
RESTAURANT
CRÊPERIE
BAR
LA GALERIE
RESTAURANT BAR
BAR TABAC

pierre a couvert la lande au nord de la baie de Quiberon de milliers de blocs de pierre dressés et de centaines de chambres funéraires. Ces réalisations ont dû faire appel à des capacités d'organisation comparables à celles des anciens Egyptiens, qui œuvraient à la même époque. Les menhirs ont eu, croit-on, une signification astronomique, et les tombes doivent avoir été celles de chefs ou de grands prêtres. La technologie de l'âge de pierre et la religion s'alliaient pour produire des effets grandioses, mais aucun archéologue n'a été capable de découvrir leur signification exacte.

Locmariaquer, un petit village de pêcheurs au bout de la D 781, possède plusieurs vestiges de la plus grande beauté. En haut d'un chemin faisant suite à la rue du village, on trouve rassemblés un menhir géant et une grande chambre funéraire, chacun comptant parmi les plus importants de son espèce, sinon les mieux conservés. On estime que le Grand Menhir brisé qui gît maintenant à terre, en quatre morceaux, a un poids de 350 tonnes et devait se dresser à une hauteur de 20 m. Il était presque aussi élevé que l'aiguille de Cléopâtre, et pèse deux fois autant. La Table des marchands est une chambre funéraire massive dont la table mesure 6 m de long sur 4 m de large. Les pierres sont sculptées çà et là de dessins symboliques. Naguère, on pouvait flâner autour d'elles en toute liberté ; elles sont maintenant encloses derrière des palissades, et il faut payer pour les voir.

Une brillante découverte des archéologues fait le lien entre la Table des marchands et le Cairn de Gavrinis. Parmi les sculptures de la dalle horizontale qui couvre la chambre funéraire de Gavrinis se déploient les cornes d'un animal semblables à celles d'un bœuf, mais sans tête ni corps. Or, vers 1980, un archéologue à l'œil vif a repéré le reste de l'animal sculpté sur la Table des marchands et a trouvé que les cornes de Gavrinis s'y ajustaient parfaitement. Une troisième table, à un autre endroit de Locmariaquer, s'adapte à l'autre extrémité de la pierre de Gavrinis ; c'est la preuve que les trois tables ont pour origine commune un menhir géant de 14 m de haut. Le Grand Menhir brisé est sans aucun doute un autre exemple des remplois pratiqués à l'âge de pierre. Il a été divisé en quatre tables potentielles restées sur place. Les historiens de la préhistoire pensent que les menhirs peuvent avoir été brisés par des peuples postérieurs à la civilisation des dolmens, de la même manière que les chrétiens ont détruit des temples romains et récupéré aussi des pierres pour construire leurs églises.

Juste au sud de Locmariaquer, près de la plage, on voit une autre chambre funéraire bien conservée. Appelée Dolmen des pierres plates (bien que ses pierres ne soient pas spécialement plates), c'est une longue allée couverte faisant un coude au milieu et laissant un petit passage sur le côté, comme une chapelle. Si vous le suivez avec une torche, vous pourrez à peu près distinguer les sculptures des murs, qui comprennent entre autres un torse humain avec des côtes ressemblant à des fougères, et un personnage féminin aux multiples seins, peut-être la déesse gardienne du chef pour qui fut construite cette sépulture.

La presqu'île de Locmariaquer va s'effilant jusqu'à la pointe de Kerpenhir, cap sans intérêt sur l'étroit goulet par où le flot rapide entre dans le golfe du Morbihan. Un blockhaus allemand contenant encore des morceaux de métal rouillé appartenant autrefois à un canon, se tient tapi au bord du promontoire, tourné vers la presqu'île de Rhuys. Au-dessous, sur les rochers, une statue de la Vierge assure la protection des yachts qui dansent à l'intérieur et à l'extérieur du golfe.

En quittant Locmariaquer, suivez la courbe de la D 781 qui mène au centre de yachting et d'ostréiculture de La Trinité-sur-Mer et continuez jusqu'à Carnac. C'est une ville renommée dans tout le monde archéologique pour ses alignements : dix lignes de menhirs en ordre de marche s'étirent au loin à travers la lande couverte d'ajoncs comme une armée en parade fossilisée. Avec Stonehenge en Angleterre, les menhirs de Carnac sont classés comme les plus vastes et les plus impressionnantes réalisations des hommes de l'âge de pierre. Les écrivains d'autrefois les ont peuplés de druides accomplissant d'horribles rites de sacrifices humains, tandis que la légende bretonne raconte que ces pierres furent apportées à Carnac sur le dos d'une race d'elfes musclés et chevelus, les korreds. Comme on l'a dit plus haut, les archéologues et les savants ne peuvent se mettre d'accord sur leur signification ; toutefois, il semble probable qu'elles furent érigées par une caste de prêtres-rois en tant qu'observatoires géants en liaison avec le mouvement

Pont médiéval sur le Loch (rivière d'Auray) menant au port de Saint-Goustan, au bas de la ville.

des corps célestes. Etant seuls à connaître les époques convenant aux semailles et à la moisson, ces experts étaient en position d'exercer une autorité de chefs parmi une population primitive d'agriculteurs.

Les alignements et la campagne environnante totalisent environ 5000 menhirs. Les trois principaux alignements s'étendent globalement du sud-ouest au nord-est ; ce sont ceux de Ménec, longs d'environ un kilomètre et large de 100 m, de Kermario (le nom signifie Maison des Morts en breton), qui occupent une surface analogue, et ceux de Kerlescan, légèrement plus courts et plus larges. La route les longe et, en été, il y a un tel encombrement de voitures qu'il vaut mieux y aller à pied. Dans la pleine saison, les alignements grouillent de visiteurs marchant parmi les pierres et même les escaladant. Aussi quelques menhirs sont-ils gravement endommagés, ce qui a amené Carnac à construire un archéoscope (lieu surélevé d'où l'on voit les alignements) et une palissade autour du site.

Pendant des années, l'excellent musée de préhistoire de Carnac, le musée Miln-Le Rouzic occupait des locaux étroits et d'allure démodée. On l'a récemment transféré dans un bâtiment plus spacieux, près de la place du village. C'est maintenant un musée aussi moderne que bien d'autres. Il fut fondé par James Miln, un archéologue amateur écossais qui commença à travailler à Carnac en 1874 ; à sa mort soudaine en 1881, son premier assistant Zacharie Le Rouzic lui succéda dans son travail de fouilles comme dans la conservation de la collection constituant le noyau du musée. Il poursuivit sa tâche jusqu'en 1939, année de son décès ; ses soixante années de recherches sur le même site sont certainement un record en archéologie.

Le musée abonde en objets produits par une haute civilisation, méticuleusement disposés et replacés dans leur contexte : haches de jadéite polie, poteries décorées, parures en or, colliers de perles, outils tels que forets et racloirs. Des panneaux très explicites montrent la méthode pour lever un menhir et construire un dolmen. Il était relativement simple d'ériger un menhir : la pierre était amenée sur le site sur des

Quelques-uns des milliers de menhirs ou pierres dressées constituant les alignements néolithiques de Carnac.

rouleaux, descendue dans un trou et relevée verticalement jusqu'à la faire reposer contre un étai de bois ; puis on remplissait le trou, on tassait le sol fermement, et on enlevait l'étai. La construction d'un dolmen commençait par la même opération pour fixer les supports. Quand les murs du couloir et de la chambre funéraire étaient en place, l'espace qui les séparait était rempli de terre, et on aménageait des rampes de terre à l'extérieur. Les pierres du toit étaient montées à l'aide de rouleaux sur la rampe jusqu'au niveau où elles chevauchaient les murs. Le couloir et la chambre étaient débarrassés de leur terre et, pour finir, on couvrait la tombe d'un tumulus gazonné.

Un tumulus de ce genre, pratiquement intact, subsiste à quelques centaines de mètres du centre de Carnac. Le tumulus Saint-Michel est une énorme construction de 125 m de long sur 60 m de large, faite de deux assises de pierre enserrant une couche de terre. L'assise inférieure comportait deux chambres funéraires dont le contenu est maintenant au musée. Au sommet du tertre, une petite chapelle dédiée à saint Michel se dresse sur une plate-forme d'où l'on a un vaste panorama sur toute la zone des mégalithes et, plus loin, sur la mer. Dans les siècles passés, les gens de la région croyaient que Jules César était enterré sous le tumulus dans un cercueil d'or. Ils faisaient là, sans aucun doute, un amalgame entre le souvenir déformé des sépultures pleines d'or des rois du néolithique, et l'ombre géante projetée à travers les siècles par le conquérant romain de la Bretagne.

En dehors de l'archéologie, Carnac mérite d'être visitée pour elle-même, car c'est une jolie ville qui offre quelques-unes des plus belles plages du Morbihan à Carnac-Plage, juste en bas de la route. Les experts nous disent que le nom de Carnac n'a rien à voir avec le Karnak égyptien, bien que les tumulus typiques des environs de la baie de Quiberon présentent une grande ressemblance avec les pyramides du bord du Nil. Soit il vient du breton *karn*, signifiant corne, soit il vient du mot gaélique *cairn* signifiant pierres amoncelées sur un tumulus. La première hypothèse est probablement la bonne, puisque le saint patron de Carnac est saint Cornély ou Cornélius, qui est aussi le saint patron de toutes les bêtes à cornes. La grande église Renaissance lui est dédiée et son mur extérieur porte une statue représentant le saint entre deux bœufs.

Cornélius a été, dit-on, l'un des premiers papes ; martyrisé en 252 ou 253 sous l'empereur Decius, il est toujours figuré avec une tiare papale sur la tête. Pour expliquer sa venue en Bretagne, on est allé chercher encore plus loin que dans la plupart des légendes. Chassé de Rome par les païens hostiles, il se dirigea vers le nord puis vers l'ouest, traversant l'Italie puis la Gaule, sur un char tiré par deux bœufs. Quand il arriva à Carnac, il se retourna et vit l'armée païenne marcher sur lui en colonnes régulières. Il lança alors une malédiction qui changea les soldats en pierres. Depuis, il sont toujours là, debout en rangs.

La bénédiction annuelle du troupeau entretient la relation entre les bêtes à cornes et Cornélius car elle a lieu en son honneur le 13 septembre, aux environs de l'équinoxe d'automne, tradition qui peut remonter à l'époque préchrétienne. James Miln, le fondateur du musée de Carnac, a décrit un étrange rituel d'origine sûrement païenne. Quand on devait soigner des bêtes malades, on les conduisait, dans un silence solennel, de la ferme à l'église de Carnac, puis à la fontaine de Saint-Cornély, où on les aspergeait d'eau. Ensuite, dans le même silence, on rebroussait chemin et, après l'église, on les ramenait à la maison. On leur faisait aussi traverser la fumée des feux de joie le soir de la Saint-Jean (24 juin), croyant ainsi les préserver de la maladie pour l'année à venir. En tant que forme primitive de fumigation, c'était certainement un procédé assez efficace.

En quittant Carnac, prenez le direction de l'ouest vers Plouharnel, puis tournez à gauche pour parcourir la presqu'île de Quiberon. Ce long doigt de terre pointant vers le plein sud pendant 15 km est en réalité une île reliée au continent par un isthme de sable. Il protège les eaux de la baie de Quiberon contre les puissantes vagues de l'Atlantique. Cette situation lui donne deux aspects différents : du côté est, c'est une côte sableuse et du côté ouest, ce sont les rochers spectaculaires de la Côte Sauvage, aussi dangereuse que toute autre côte de Bretagne. La route

Vagues de l'Atlantique déferlant le long du front de mer à Quiberon, une des stations balnéaires de Bretagne au développement le plus rapide.

sinueuse qui la longe abandonne la D 768 à peu près à la moitié de la presqu'île pour aller vers des étendues de gazon moelleux descendant jusqu'aux rochers. Malgré l'aspect assez attirant des criques sableuses, une signalisation en français, anglais, allemand avertit les nageurs éventuels que « cette côte est très dangereuse, même si la mer semble calme ». Une de ces criques est dominée par un obélisque commémorant l'accident survenu en 1979 à un gendarme et un pompier qui donnèrent leur vie pour tenter de sauver un imprudent de la noyade.

La ville de Quiberon, au bout de la presqu'île, est une station riante et dynamique dont l'expansion se fait en courbe à partir du littoral et remonte à l'intérieur jusqu'à la route principale. Le héros local est le général Hoche (1768-1797) dont la statue se dresse près des jardins publics, juste après le front de mer. Hoche fut un des plus compétents jeunes officiers produits par la Révolution. Il n'avait que 26 ans quand, en 1794, il fut placé à la tête des forces révolutionnaires dans la lutte contre les Chouans royalistes de Bretagne et de Vendée. Au terme d'une campagne couronnée de succès, il refoula 20 000 Chouans environ, y compris femmes et enfants, à l'extrémité de la péninsule. Beaucoup réussirent à s'échapper par mer, mais on en captura plusieurs centaines, dont les deux cents qui, comme on l'a vu ci-dessus, furent fusillés sur le Champ des Martyrs, contre l'avis de Hoche lui-même.

Le port de Quiberon est le point du départ du bateau qui va à Belle-Ile, la plus grande île des eaux bretonnes. La traversée jusqu'au Palais, sa petite capitale, demande environ trois quarts d'heure. Ses 80 km de côtes, où les pointes rocheuses contrastent avec les petites plages et les criques, font de ce lieu le séjour favori des vacanciers et des artistes. C'est là que sont venus peindre Monet, Derain, Matisse, et s'y promener les écrivains Dumas, Flaubert et Proust. A la différence des îles bretonnes plus petites comme Ouessant où on est sans cesse conscient de la proximité de la mer, Belle-Ile possède assez de bois, de vallées et de villages pour donner l'illusion d'être sur le continent. La meilleure manière de la visiter est de prendre le bateau de bonne heure à Quiberon et de louer une bicyclette au Palais.

Hormis Le Palais, Belle-Ile ne compte que trois autres villes de plus petite importance : Bangor, qui porte le même nom que la cité galloise, Locmaria et Sauzon, dénomination bretonne équivalant à : Saxon ou Anglais. Les liens avec l'Angleterre devinrent une réalité en 1761, lors de la Guerre de Sept ans, quand les troupes britanniques conquirent Belle-Ile qu'elles occupèrent pendant deux ans, puis qu'elles échangèrent en 1763 contre le Canada par le traité de Paris. Pendant cette courte période, les Anglais réussirent à introduire la pomme de terre dans l'île, mais en dehors de cela, leur influence resta très faible.

Le bateau se glisse dans le port du Palais par une passe si étroite que vous vous demandez comment fait le timonier pour ne pas heurter la jetée. Au-dessus du port se dessinent les grands remparts de pierre de la citadelle, une des plus formidables forteresses de Bretagne qui mériterait à elle seule une visite à Belle-Ile. L'éperon rocheux sur lequel elle se dresse fut occupé depuis longtemps ; au IXe siècle, des moines de Redon bâtirent sur le site un monastère qui ne fut pas vraiment fortifié avant le milieu du XVIe siècle. Tout au long du XVIIe, on augmenta progressivement les défenses qui n'atteignirent leurs dimensions et leur échelle actuelle que vers 1680, sous la direction de Vauban. Après l'occupation britannique de 1761-63, la citadelle devint une caserne, puis une prison (utilisée la dernière fois pendant les années 1950 pour des militants de l'indépendance algérienne) et, depuis 1960, c'est une propriété privée.

Pour y entrer, vous passez entre de hautes murailles percées d'embrasures à canon et, sous la porte du Donjon, noble portail classique couronné d'un fronton sculpté de faces et de trophées de guerre. Une fois à l'intérieur, vous vous trouvez au milieu d'un étonnant complexe de constructions de toutes les époques : des donjons sinistres d'une forteresse du XVIe siècle avec des écriteaux portant la mention : Ne craignez rien — entrez, un énorme bloc militaire du XVIIIe siècle encore équipé de ses latrines et de ses cellules de prison ; des bastions agrémentés de sentiers et parterres de fleurs ; et une confortable habitation ressemblant à un manoir breton, où vit l'actuel propriétaire. Le plus extraordinaire est la poudrière circulaire construite vers 1650 sur le site, dit-on, de la chapelle des moines. A

Phares jumeaux gardant l'étroite entrée du port du Palais à Belle-Ile, la plus grande des îles au large de la Bretagne.

l'intérieur, les murs et le toit en dôme créent un effet acoustique qui rend totalement audible le plus faible son. Les remparts offrent un panorama sur Quiberon, les îles plus petites d'Houat et d'Hoëdic et, au-delà, sur le continent. On comprend pourquoi Belle-Ile a eu une telle importance stratégique au cours des siècles. Un des bâtiments à l'entrée a été transformé en un musée passionnant où vous pouvez vous promener parmi les plans merveilleusement dessinés de redoutes et de casemates, ou regarder des photos du XIXe siècle montrant la construction de bateaux et la pêche au thon. Toute une section est réservée à l'actrice Sarah Bernhardt qui, en 1886, acheta et restaura un vieux fort à la pointe des Poulains, l'extrémité septentrionale de l'île et en fit une résidence estivale. On y voit des affiches de théâtre l'annonçant dans ses rôles les plus célèbres (Froufrou, Mélisande, la Dame aux camélias), des photos d'elle en train de les interpréter, avec les toilettes et les ombrelles adéquates et une série de cartes postales qui se complètent pour former un portrait composite. Bien que n'étant pas une beauté — c'est une évidence, d'après les photos — elle devait avoir sur scène une personnalité électrique, du moins si on peut se fier au portrait intitulé *Madame Sarah Bernhardt dans une crise de rage,* qui la montre l'œil en feu et les cheveux hérissés comme des piquants de porc-épic.

On ne sait ce que les impassibles paysans bellilois pensaient d'elle ; ils devaient hocher la tête devant sa ménagerie familière comprenant un chat sauvage et un boa constrictor, et ses sorties régulières à six heures du matin pour tirer sur les canards ou sur les mouettes, en compagnie d'un petit garçon noir et de deux énormes dogues anglais.

Revenez sur la presqu'île de Quiberon, allez jusqu'à Plouharnel où vous tournez pour suivre la D 781 vers le nord-ouest. De chaque côté de la route, la lande est jonchée de maisons de vacances, de dolmens et de menhirs — mélange curieux et incongru des XXe siècles avant et après J.-C. Au-delà d'Erdeven, la côte est profondément entaillée par la rivière d'Etel qui est plus une lagune intérieure parsemée d'îles, une sorte de petit cousin du golfe du Morbihan qu'une rivière. Sur l'une de ces îles, maintenant reliée au continent par une chaussée, est situé le joli village de pêcheurs de Saint-Cado qui mérite d'être découvert en empruntant des routes détournées. La chapelle, construite au XIIe siècle, mais qui n'a pas beaucoup changé depuis, fait face à une rangée de petites maisons de pêcheurs de l'autre côté d'une large pelouse. Tout près, se trouvent un grand calvaire et une chaire en plein air où l'on accède par un triple escalier et, derrière, un minuscule sanctuaire de pierre de plan cruciforme, avec son enceinte, placé tout au bord de l'eau comme pour permettre des baptêmes par immersion.

Selon un poème burlesque peint autour du mur intérieur de la chapelle, Cado était un prince gallois né dans le comté de Glamoran, qui exerça un ministère en Bretagne, et fut finalement chassé par les pirates. La légende dit qu'il imagina de duper le Diable qui avait accepté de bâtir un pont reliant l'île au continent à condition de pouvoir s'emparer de l'âme de la première créature qui le passerait. Avec l'aide de sa mère, le Diable construisit le pont en une seule nuit et s'assit à l'écart dans l'attente que Cado vînt le franchir. Mais le saint rusé y lança un chat et le Prince des Ténèbres une fois de plus fut berné...

Traversez la rivière d'Etel pour continuer la D 781 jusqu'à Port-Louis, autrefois un port militaire aussi important que Brest, mais tombé, depuis à peu près trois siècles, dans un obscur assoupissement. Port-Louis se dresse au bout d'une langue de terre, protégeant l'entrée du vaste estuaire confluent du Scorff et du Blavet. Sa puissante et impressionnante citadelle peut se comparer à celle de Belle-Ile. Au départ, Port-Louis était un village de pêcheurs du nom de Blavet, puis il a été rebaptisé en l'honneur de Louis XIII au début du XVIIe siècle. La citadelle fut commencée en 1570 et achevée, sous le cardinal Richelieu, en 1637 ; ses grands bastions de pierre, avançant comme les pointes d'une étoile dans l'estuaire, sont un exemple classique de fortification du début du XVIIe siècle.

Peu après sa construction, la Compagnie des Indes — l'équivalent français de la britannique East India Company — en fit son quartier général ; mais vers la fin du siècle, la Compagnie traversa l'estuaire, pour s'installer en face, à Lorient, et Port-Louis se mit à décliner. C'est aujourd'hui une petite ville calme, mais hantée de souvenirs, avec ses remparts et ses édifices qui paraissent beaucoup trop

Sanctuaire au bord de l'eau sous la chapelle Saint-Caldo, village de pêcheurs sur une île de la rivière d'Etel. Il a peut-être été utilisé pour les baptêmes.

grands et disproportionnés pour un lieu de si peu d'importance. De ses allées bordées d'arbres, vous pouvez observer la vie de l'estuaire jusqu'aux immeubles-tours modernes de Lorient, de l'autre côté de l'étendue d'eau : une foule de cargos, de corvettes militaires, de ferries, de yachts et même, à l'occasion, de skiffs.

La citadelle a été transformée en un splendide musée ou plutôt en un ensemble de musées puisqu'on trouve à l'intérieur de l'enceinte des collections aussi nombreuses que variées. La principale collection, qui constitue le musée de la Compagnie des Indes, est logée dans un bâtiment qui ne compte pas moins de quinze salles attenantes ; elle regorge de trésors accumulés par le commerce et par la conquête. La compagnie a subsisté de 1664 à la Révolution et, pendant plus d'un siècle, la France et la Grande-Bretagne ont rivalisé dans la colonisation et l'exploitation de toutes les parties connues du monde. L'Afrique occidentale, Madagascar, l'île Maurice, l'Inde, la Thaïlande, la Chine donnent lieu à autant de sections du musée, avec cartes, dessins, vitrines de costumes exotiques, armes, porcelaines et présentations de safran, poivre, thé et café. Parmi les objets de cette fascinante exposition, on peut voir le modèle réduit du navire de 1200 tonnes, orgueil de la flotte de la Compagnie au XVIIIe siècle, le *Comte d'Artois,* avec, à son bord, 300 petites figurines d'officiers en uniforme bleu, de passagers avec des perruques et d'hommes d'équipage avec des queues de cheval. En fait, la totalité du vaisseau en dessous de la ligne de flottaison était occupée par la cargaison ; cependant, le navire, étant un bâtiment français, comportait aussi un grand « caveau du capitaine » réservé à la nourriture et au vin des officiers supérieurs.

Pour vous rendre de Port-Louis à Lorient, vous pouvez passer en voiture au-dessus des eaux en empruntant le pont qui enjambe le Blavet et ensuite redescendre vers le centre-ville, mais vous pouvez également utiliser la vedette qui, toutes les heures ou à peu près, traverse tranquillement l'estuaire. Ce petit voyage d'une demi-heure vaut vraiment la peine, car il vous permet de voir l'estuaire sous des angles différents et vous conduit directement au vieux port de Lorient. A mi-chemin, vous vous trouvez à égale distance de deux fortifications très différentes, construites à trois siècles d'écart, d'un côté les découpages élégants de la citadelle de Port-Louis, de l'autre les lourds abris de béton pour sous-marins, construits par les Allemands durant la Seconde Guerre mondiale, abris aujourd'hui encore utilisés par la Marine française et qui semblent pouvoir résister à n'importe quelle bombe atomique.

Comme nous l'avons indiqué plus haut, Lorient (à l'origine, L'Orient) a succédé à Port-Louis en tant que quartier général de la Compagnie des Indes. En 1770, la Marine nationale prit possession du port, et Lorient est demeuré depuis une importante base navale. A la fin de la Seconde Guerre mondiale, la ville a été farouchement défendue par les Allemands. Le résultat est qu'elle a été entièrement reconstruite dans un style moderne dépourvu de personnalité ; quelques rares immeubles anciens, du temps de la Compagnie des Indes, subsistent cependant dans les rues qui partent du port. Comme à Brest, seuls les citoyens français sont autorisés à visiter les installations navales.

Certes, sur le plan architectural, Lorient n'offre pas grand intérêt, mais depuis ces vingt dernières années, la ville est un des centre de la renaissance culturelle bretonne. Tous les ans, au mois d'août, son Festival interceltique rassemble pendant dix jours plus de 4000 musiciens, danseurs, acteurs et artistes de toutes sortes, ne venant pas seulement de Bretagne, mais aussi d'Ecosse, d'Irlande, du Pays de Galles, de l'île de Man et de Cornouailles, et même de la Galice et des Asturies, régions du nord de l'Espagne. Si vous visitez Lorient durant le festival, vous entendrez, à chaque coin de rue, les grincements nasillards des cornemuses que l'on accorde et vous verrez des jeunes filles de Galice ou de Guingamp tapotant leurs coiffes pour les mettre en forme, avant de vous mêler à une des processions qui bloquent les rues pendant quatre heures d'affilée. Le stade de football, à dix minutes de marche du port, est occupé par des danseurs en costume traditionnel, la pelouse, plantée d'arbres, qui s'étend jusqu'au port est transformée en champ de foire et les écoles, églises, et salles en tout genre sont consacrées à des concerts et manifestations musicales. A Lorient, même les hamburgers ont un goût celtique : rebaptisés Breizburgers

Telle la proue en pierre d'un navire de guerre, le bastion de la citadelle de Port-Louis (XVIIe siècle) s'avance dans l'estuaire du Scorff. La citadelle abrite maintenant le musée de la Compagnie des Indes.

(de *Breiz,* mot breton signifiant Bretagne), ils sont confectionnés avec de la viande garantie du pays.

Le service de bateaux qui dessert l'île de Groix part des quais de Lorient. Le trajet dure 45 minutes et c'est même une bien meilleure manière de voir l'estuaire du Blavet. Le trajet est nettement plus intéressant que la traversée Lorient — Port-Louis en vedette. Sur tous les plans, Groix est la petite sœur de Belle-Ile. Toutes les deux d'ailleurs, associées à Ouessant, forment le fameux trio insulaire évoqué dans ce petit couplet :

Qui voit Belle-Ile, voit son île
Qui voit Groix, voit sa joie
Qui voit Ouessant, voit son sang.

Comme Belle-Ile, Groix jouit d'un climat doux et donne l'impression d'une île endormie tout à fait différente des hautes terres accidentées et balayées par les vents d'Ouessant. Son nom breton, Enezar Groac'h signifie : l'île de la sorcière, bien que de nos jours il n'y ait manifestement pas de sabbat. Si vous louez une bicyclette au coquet petit Port-Tudy, vous pourrez facilement visiter Groix en une journée. En dépit de ses petites dimensions — sa longueur n'est que d'environ 7 km —, l'île présente beaucoup de contrastes, depuis la réserve ornithologique, autour du phare de Pen-Men, à son extrémité occidentale, jusqu'aux extraordinaires rochers, riches en mica, de la pointe du Chat, à l'extrémité orientale de l'île. Ces rochers brillent de millions de petits éclats cristallins, quand le soleil les illumine. Port-Tudy possède un petit musée local qui présente l'industrie liée à la pêche (existant autrefois sur l'île) disparue depuis bien longtemps ainsi qu'un ancien canot de secours dont les douzaines de sauvetages qu'il a opérés au long de sa carrière sont fièrement évoqués sur les murs.

Après être revenu de Lorient à Port-Louis par la vedette, mettez le cap, au nord, sur la ville ancienne d'Hennebont. Son nom vient du breton Hen Bont, le vieux pont, la cité s'étant en effet implantée au premier point où l'estuaire du Blavet pouvait être enjambé par un pont selon les techniques de construction médiévales. Comme Lorient, la ville a été considérablement endommagée pendant la Seconde Guerre mondiale, et elle est donc, dans de larges proportions, moderne, mais les remparts du château du Moyen Age subsistent encore sur une bonne longueur, près de la rivière. Au cours de la Guerre de Succession du XIVe siècle qui opposa les Bretons à la France, le château assiégé par l'armée française fut défendu par Jeanne de Flandre, femme de Jean de Montfort. Une nuit, elle se glissa hors du château et mit le feu au camp français gagnant ainsi le surnom de Jeanne la Flamme et la réputation durable d'être une bonne patriote bretonne. L'église du XVIe siècle d'Hennebont, sise sur une colline qui s'élève à partir du château, attire l'œil par sa pittoresque tour surmontée d'une flèche haute de 65 m et son porche occidental extraordinairement élancé.

Empruntez la N 24 à l'est pour vous rendre à Baud et prenez la direction fléchée centre-ville. A un kilomètre avant l'entrée de la ville, un poteau indicateur vous dirige sur la Vénus de Quinipily. Constituant une des énigmes non encore élucidées du Morbihan, la statue se dresse sur une hauteur entre une ferme et un verger, juchée en haut d'une sorte de dais formé par la roche, derrière une énorme citerne de pierre. Elle est bien loin de ressembler à la belle déesse, comme le suggère son nom, avec son corps trapu et ses membres maigres. Elle est nue, à l'exception d'un bandeau autour de la tête et d'une écharpe lui tombant au-dessous de la taille. Elle a l'air d'une Egyptienne, voire d'une squaw, et a été identifiée par les uns à Cybèle, par d'autres, à Isis, divinité égyptienne à laquelle les légionnaires romains vouaient un culte ; pour d'autres encore, ce serait une divinité gauloise inconnue ou même un faux.

Jusqu'au XVIIe siècle, elle se dressait sur une colline à 12 km au nord de Baud, où étaient installés des Gaulois. Elle était alors connue sous le nom de *Ar Gwreg Houarn,* la Dame de Fer, et était l'objet d'une telle vénération de la part des paysans de la région que l'évêque de Vannes la fit renverser et jeter dans les eaux du Blavet. En 1696, le seigneur de Quinipily la récupéra et la fit placer à l'endroit où elle se trouve maintenant, portant son regard au-delà d'une petite vallée fertile et conservant le mystère de son origine.

Remparts et porte fortifiée Broërec (XVe siècle) d'Hennebont, vieille ville fâcheusement endommagée pendant la Seconde Guerre mondiale.

Le corps de logis du château de Josselin, construit par Jean de Rohan vers 1500. Les pignons étroits d'apparence gothique sont ornés d'une extravagante décoration Renaissance.

Continuez sur la N 24 jusqu'à Locminé, à 16 km à l'est de Baud. Ce bourg commercial sur le cours du modeste Tarun, s'est développé autour d'une abbaye fondée au XVIIe siècle. Locminé veut dire, en breton, la cité des moines. L'église du XVIIe siècle est dotée d'une extraordinaire annexe moderne sur le côté nord, ressemblant à un vaste appentis en bois et en ardoise, éclairé d'immenses fenêtres.

De Locminé, faites 5 km à l'est pour vous rendre au village de Bignan et, de là, par un chemin de traverse, allez jusqu'à Kerguéhennec, un château du XVIIIe siècle perdu en pleine campagne. Avec sa façade symétrique et ses jardins à la française flanqués de pavillons allongés, le château, à lui seul, mérite une visite ; son parc lui donne un attrait exceptionnel, il joue le rôle d'une galerie originale, en plein air, de sculpture moderne, géré par le ministère de la Culture en coopération avec le département du Morbihan, propriétaire des lieux. Les sculptures sont largement espacées parmi les arbres, sur les pelouses et autour du lac artificiel, en dessous du château. Si bien que, quand vous faites le tour du parc, vous pouvez tout à coup apercevoir un groupes de hautes colonnes de bronze au bout d'une allée de gazon, à moins que vous ne butiez sur la structure d'un monstre paraissant issu d'une croisement entre un dinosaure et une moissonneuse-batteuse... A l'intérieur de la magnifique serre du XIXe siècle, l'on peut voir un étalage de milliers de pots de fleurs en ciment peints en rouge, alignés sur le sol et sur des rayons comme s'il s'agissait de la serre de bouturage de quelque gigantesque jardinier. Pour ce qui est des sculptures, seul le temps pourra dire si elles ont une grande valeur en tant qu'œuvres d'art, mais c'est en tout cas très inhabituel et encourageant de trouver des responsables locaux s'attachant à procurer un espace dans lequel des œuvres controversées d'artistes modernes peuvent être vues dans les meilleures conditions.

De retour sur la N 24, poursuivez jusqu'à Josselin, à 15 km à l'est. La petite ville s'est nichée sous la protection de l'imposant château féodal des Rohan, l'une des familles les plus puissantes de Bretagne depuis le Moyen Age. Les trois tours majestueuses, insérées dans la muraille et surmontées d'un toit conique, jaillissent de la roche au-dessus des eaux calmes de l'Oust. Elles doivent représenter la vue architecturale la plus photographiée de toute la Bretagne. Jusqu'aux environs de l'an mil ap. J.-C. , la ville était connue sous le nom de Thro, mais au XIe siècle, un noble breton appelé Josselin en devint le seigneur et lui donna son propre nom. Le château qu'il avait construit fut attaqué par les Anglais autour de 1160 et en grande partie détruit. Vers la fin du XIVe siècle, il fut reconstruit à une plus grande échelle par Olivier de Clisson ; se dressant tout au bord de la rivière, il devait à l'époque sembler imprenable.

Les exploits de Clisson au cours de la Guerre de Cent Ans lui valurent le titre de boucher des Anglais. En 1380, il fut nommé connétable de France, chargé du commandement de toutes les forces armées du royaume et sa devise Pour ce qui

Les tours du château de Josselin se dressent fièrement sur les rives de l'Oust. Un des plus beaux châteaux de Bretagne, il combine l'aspect guerrier de son enceinte au raffinement spectaculaire de sa cour Renaissance.

me plest (J'agis selon mon bon plaisir) révèle l'étendue de son arrogance et de son pouvoir. Clisson fut surpassé dans le domaine de l'ostentation par ses successeurs, les Rohan, qui s'allièrent à sa famille et devinrent les propriétaires du château jusqu'à ce jour. Vers 1500, Jean de Rohan fit construire à l'intérieur de l'enceinte le spectaculaire corps de logis, un modèle du style du début de la Renaissance (ou gothique tardif) avec pignons étroits, pinacles ajourés et balustrades décoratives en pierre travaillée, contrastant par sa délicieuse frivolité avec le sévère aspect militaire de sa muraille extérieure. Si vous regardez attentivement les sculptures, vous pouvez distinguer à plusieurs endroits la devise des Rohan : A plus (Encore plus ou A l'excès), accompagnée de la lettre A, initiale du nom de la duchesse Anne, et de la couronne du roi de France, son époux. Le plus souvent, les lettres sont sculptées en forme de monstres marins au corps tordu. L'emblème ainsi constitué a été transporté à l'intérieur et notamment au-dessus de la cheminée du grand salon — une des salles du rez-de-chaussée ouvertes au public — où les lettres à filets d'or ressortent sur un fond rouge. Après la Révolution, le château tomba en ruine, jusqu'à ce que d'importantes restaurations du XIXe siècle lui aient redonné vie.

Des bâtiments extérieurs ont été aménagés en musée de poupées, exposant la collection constituée par les Rohans au cours des années. L'entrée se fait à partir de la rue et non de l'intérieur du château. Des centaines d'exemplaires de poupées originaires de France et d'autres pays d'Europe, certaines datant du XVIIIe siècle, peuvent être admirées ainsi que des modèles exotiques du Japon, de Russie et même de la peuplade indienne des Hopi. C'est un musée idéal pour une après-midi pluvieuse de Bretagne, particulièrement pour occuper de jeunes enfants. Prime inattendue, ses fenêtres offrent une vue dégagée sur la cour intérieure et, au-delà, sur le corps de logis.

En dehors du château, il y a quantité de choses à voir dans le centre de la ville avec ses maisons à colombage faisant saillie sur les rues étroites, et sa superbe église gothique, Notre-Dame-du-Roncier, fondée au XIe siècle. Son culte précède largement le temps où Josselin donna son nom à la ville. Autrefois, au IXe siècle, un paysan de Thro, marchant le long de l'Oust, trouva un buisson de ronces miraculeux, qui gardait ses feuilles, même au plus fort de l'hiver et au milieu duquel se trouvait une statue primitive en bois de la Vierge. Il emporta la statue chez lui, mais le lendemain matin, il s'aperçut qu'elle était retournée dans son hallier. Après que l'événement se fut reproduit plusieurs fois, le clergé local l'enregistra, et une chapelle fut construite pour la statue à l'emplacement même du buisson de ronces. La statue fut finalement transportée dans l'église principale de la ville ; mais elle fut brûlée en 1789, comme un objet de superstition. Celle que l'on peut voir maintenant dans l'église est une réplique éxécutée en 1868. Le pardon de Notre-Dame-du-Roncier a lieu, chaque année, en septembre. On lui donnait autrefois le nom de pardon des Aboyeuses, à

A Malestroit, une des amusantes sculptures en bois peint ornant les maisons du Moyen Age, sur laquelle on peut voir un lièvre jouant de la cornemuse.

Boiseries d'une maison du XVIe siècle, à Ploërmel, sculptées de cariatides qui semblent supporter le poids de l'immeuble.

BAR
CRÊPERIE

Noisettes en vente sur le marché de Rochefort-en-Terre.

cause des épileptiques qui y participaient dans l'espoir d'une guérison miraculeuse.

Votre prochaine étape sera Ploërmel, à 12 km à l'est de Josselin. A un endroit situé à mi-chemin, la N 24 à deux voies se sépare en deux routes distinctes, dégageant entre elles un îlot allongé, au milieu de la circulation, sur lequel a été érigé, entouré par des arbres, un des monuments les plus chargés d'histoire de la Bretagne. La colonne des Trente — c'est le nom qu'on lui donne — célèbre un fameux fait d'armes qui eut lieu en 1351 pendant la guerre de Succession. La garnison de Josselin était commandée par un Breton, Jean de Beaumanoir, tandis que Robert Bemborough, à la tête de mercenaires anglais, occupait, pour le compte de la France, Ploërmel ; les deux chefs s'étaient mis d'accord pour livrer bataille à l'extérieur, en un endroit situé à mi-chemin entre les deux villes là où s'élevait un chêne, le chêne de la Mi-Voie, avec trente chevaliers pour chaque camp. Les deux parties se battirent toute une journée jusqu'à la déroute des chevaliers britanniques. Les survivants furent ramenés à Josselin et mis à rançon. Au cours de la bataille, Beaumanoir fut blessé et perdit beaucoup de sang. Comme il réclamait à boire, un de ses hommes lui répondit : « Bois ton sang, Beaumanoir, ta soif se passera » — réplique restée proverbiale.

La ville de Ploërmel, actif carrefour routier, a été gravement endommagée, vers la fin de la Seconde Guerre mondiale. Elle doit son nom à saint Armel, un moine breton du VIe siècle, qui se fit une réputation de sainteté pour avoir apprivoisé un dragon qu'il menait en laisse avec son étole (saint Pol fit exactement de même sur l'île de Batz, au large de Roscoff). La magnifique église est pour l'essentiel de style gothique flamboyant du XVIe siècle. Son clocher, détruit par un obus pendant la guerre, n'a jamais été reconstruit. Une belle verrière représente l'arbre de Jessé et un vitrail plus ancien du XVe siècle raconte l'histoire de saint Armel. La principale curiosité de Ploërmel est l'horloge astronomique, dans une cour proche de l'église. Réalisée par un moine vers 1850, c'est un superbe chef-d'œuvre artisanal : dix cadrans donnent l'heure locale en même temps que celle de nombreux pays du monde, les positions respectives de la Lune, de la Terre et du Soleil, ainsi qu'une vue du ciel tel qu'il se montre à Ploërmel.

De Ploërmel, dirigez-vous vers le sud en empruntant la N 166 ; quittez-la pour prendre la D 764 en direction de Malestroit. Très joliment situé sur les bords de l'Oust, qui devient là une partie du canal de Nantes à Brest, Malestroit est l'endroit idéal pour une promenade au bord de l'eau. La ville doit son nom à la pauvreté de ses moyens de communication au Moyen Age, le latin *mala strata,* mauvaise route, donnant, par dérivation, Malestroit. Des maisons d'époque médiévale, dont certaines à revêtement d'ardoises ont été construites sur et autour de la place principale ; la maison en bois dite maison de la Truie qui file est ainsi nommée à cause d'une statue humoristique peinte à l'extrémité d'une de ses poutres. L'église Saint-Gilles, édifice en style roman du XIIe siècle pour l'essentiel a été considérablement

Enchevêtrement d'anciennes façades dans la petite ville fleurie de Rochefort-en-Terre, qui s'étage sur une colline au-dessus d'une vallée.

agrandie au XVIe par l'adjonction d'une seconde nef. Le porche d'entrée sur le flanc de l'église est particulièrement beau, flanqué sur chacun de ses côtés de statues d'animaux : le lion de saint Marc et le bœuf de saint Luc. A une certaine heure de l'après-midi, l'ombre du bœuf sur le mur de l'église voisine dessine, dit-on, le profil du grand sceptique Voltaire...

Pendant la Seconde Guerre mondiale, la région de bois sauvages, au sud et à l'ouest de Malestroit, appelée landes de Lanvaux, a été un des centres de la Résistance bretonne. Au moment du débarquement allié en France, en juin 1944, ces landes furent le cadre d'une héroïque opération menée par des parachutistes français et des membres de la Résistance. Une bataille rangée de grande envergure qui eut lieu près du village de Saint-Marcel, juste à l'ouest de Malestroit, est commémorée par une grande colonne du souvenir.

Dans le musée de la Résistance bretonne de Saint-Marcel, vous pouvez suivre toute l'histoire de la Résistance en Bretagne depuis ses débuts spontanés jusqu'à la bataille de Saint-Marcel et à la libération de la Bretagne deux mois plus tard, en passant par la constitution d'un réseau de cellules couvrant une vaste région. Pour ceux qui n'étaient pas dans la Résistance, la vie continuait aussi normalement que les circonstances le permettaient : une photographie particulièrement parlante, prise en 1941, montre une jeune fille sur le pont de Malestroit présentant ses papiers au contrôle d'un soldat allemand. Le pont est encore tel qu'il était il y a un demi-siècle, mais les Allemands viennent maintenant à Malestroit en touristes pacifiques. Sous les arbres, un peu partout aux alentours, on trouve des tanks, des camions, des canons et tout un assortiment de matériel militaire de ce conflit déjà lointain.

Faites 17 km pour aller à Rochefort-en-Terre, un joyau de vieille ville, étagée sur une colline au-dessus de la vallée du Gueuzon, avec des escaliers vous menant d'un niveau à l'autre. De nombreuses villes, en Bretagne, prétendent à la qualification de villes fleuries, mais Rochefort-en-Terre surpasse toutes ses rivales par le nombre de ses jardinières de fenêtre et bacs de pierre débordant de géraniums. La grande église, proche de la Grande-Rue en bas de la colline est principalement de style gothique flamboyant du XVIe siècle, avec cependant une tour romane du XIIe siècle et un ancien calvaire à côté. Elle a été consacrée à Notre-Dame de-la-Tronchaye, la dite tronchée était un groupe de troncs d'arbres où une miraculeuse statue de la Vierge fut découverte par une bergère au XIIe siècle, après avoir été cachée trois siècles auparavant, à l'époque des invasions normandes. A l'intérieur de l'église, on peut voir quelques statues peintes, un retable Renaissance et des stalles ornées de belles miséricordes, une rareté en Bretagne.

En haut de la ville et la dominant, se trouve une plate-forme entourée de murs massifs et d'un château du Moyen Age dont il ne reste que l'entrée fortifiée. Construit au XIe ou XIIe siècle, probablement sur l'emplacement d'une fortification romaine, il fut agrandi et renforcé pendant tout le Moyen Age, puis endommagé au cours des luttes dynastiques pour la possession du duché de Bretagne et des Guerres de Religion du XVIe siècle. Il fut démantelé à la Révolution. Seules subsistent, à peu près intactes, les écuries, devenues le noyau du château d'aujourd'hui.

Ce dernier doit son existence à un artiste américain, Alfred Klots, qui vint à Rochefort en 1903, tomba amoureux des restes du château, les acheta et se mit à faire des anciennes écuries l'élégant manoir actuel de style Renaissance. Il tira beaucoup de ses matériaux de construction des propriétés en ruine du voisinage. Le fils d'Alfred, Trafford Klots, peintre lui aussi, prit la succession de son père à Rochefort, où il vécut jusqu'à sa mort en 1976. Pendant la Seconde Guerre mondiale, Trafford Klots était officier dans l'armée américaine, et à la Libération, en 1944, il fut le premier à entrer dans Rochefort, à la tête des troupes victorieuses. La tradition des Klots — père et fils — s'est conservée jusqu'aujourd'hui. Les pièces abondent en mobilier et en objets d'art qu'ils ont collectionnés pendant les soixante-dix années qu'ils occupèrent le château ; sur les murs sont accrochées leurs peintures — surtout des portraits d'Alfred et des dessins de paysages de Trafford. Le château est maintenant propriété du département du Morbihan.

A peu de distance, au sud-est de Rochefort, près du village de Malansac, une carrière d'ardoise désaffectée a été transformée en Parc de préhistoire. Vous pourrez suivre un sentier en plein air en passant devant des scènes de la vie à l'âge de pierre, représentée en grandeur nature. Des chasseurs se tiennent en équilibre sur un rocher, pointant leurs lances sur un renne de l'autre côté d'un ravin, des hommes et des femmes de Cro-Magnon sont assis dans un village, hors de leur wigwam, en train de faire du feu, de coudre des peaux et de fumer du poisson ; des membres d'une tribu de la période néolithique travaillent à dresser un menhir. En dehors de cette tentative intéressante pour mettre du réalisme dans cette période de l'histoire du Morbihan, le Parc utilise de façon originale les traces d'exploitation de la carrière pour créer un paysage pittoresque en transformant les grandes excavations en petits lacs et les terrils en terrains plantés d'arbres serrés.

Prenez ensuite la direction de la ville commerciale de Redon, à 26 km à l'est. Redon est le principal centre de culture de la châtaigne et la ville est renommée pour ses marrons glacés ; mais la plus importante raison que l'on ait pour se rendre à Redon, c'est la magnifique basilique Saint-Sauveur, autrefois église d'un monastère bénédictin fondé au IXe siècle. Sur la croix du transept se dresse une des gloires de l'architecture de la Bretagne du sud — la tour romane du XIIe siècle ajourée de lourdes arcades en plein cintre. La texture de ses murs, aussi unique que sa forme, est composée de granit gris et de grès rouge foncé, les deux couleurs disposées au hasard pour donner l'impression d'une construction taillée sur la roche naturelle. Pour compléter le contraste, il y a également un grand clocher gothique qui a été séparé du corps principal de l'église, depuis la destruction d'une grande partie de la nef par un incendie en 1780.

De Redon, en prenant la D 20 vers l'ouest, vous arrivez après avoir traversé Muzillac, à la presqu'île de Rhuys qui constitue un bras protecteur du golfe du Morbihan, tout au long de ses côtes méridionales. A Sarzeau, seule ville de quelque importance sur la presqu'île, on peut voir quelques maisons intéressantes du XVIIe siècle avec des fenêtres à encadrement sculpté. L'église a quelques chapiteaux curieux dont plusieurs à motifs d'oiseaux, et deux statues de bonne facture, l'une représentant saint Isidore portant une culotte de paysan breton, l'autre saint Cornélius patron des animaux de ferme. La plupart des gens évitent Sarzeau pour aller directement grossir la foule du Port-Navalo, centre important de plaisance et de tourisme et point de départ pour les promenades en bateau tout autour du golfe. De Port-Navalo, vous pouvez voir la pointe de Kerpenhir de l'autre côté d'une étroite passe — à peine quelques centaines de mètres séparent les deux extrémités par mer, contre plus de 60 km par la route étant donné l'absence de pont.

Tour-clocher à arcades du XIIe siècle dressée sur la croix du transept de la basilique Saint-Sauveur à Redon. Sa construction alterne le granit et le grès.

Presque au bout de la presqu'île, sur la côte sud, a été aménagée la grande marina moderne de Crouesty, où, pressés les uns contre les autres, des bateaux au mouillage, parmi lesquels les plus récents modèles de haute technologie en matière de yachting, sont alignés le long d'un étroit bassin. Derrière les quais, a été implantée une petite ville de maisons standard pour les passionnés de navigation où, comme me le disait un badaud blasé, « vous pouvez commander une façade normande ou bretonne comme un plat au restaurant ». Autrefois, les marins qui passaient devant la chapelle du promontoire de Crousty enlevaient leur chapeau et abaissaient trois fois leur pavillon en l'honneur de la Vierge.

A côté de la route principale, un peu à l'est du Crousty, s'élève un tumulus appelé la Butte de César qui offre des vues splendides sur les voiliers glissant sur les eaux de la baie de Quiberon. La Butte de César doit son nom au fait — probablement véridique — que, lors de la conquête de la

Gaule, Jules César se tint sur cette hauteur pour regarder sa flotte détruire la marine vénète. Les navires des Gaulois aux hautes coques de chêne étaient gréés de voiles de cuir, conçues pour la navigation en haute mer, au grand large, tandis que la flotte de César était composée de galères propulsées par des rameurs. Quand le vent tomba, les Vénètes furent immobilisés et tout ce que les Romains eurent à faire pour les mettre hors de combat, ce fut d'accrocher leurs gréements avec de longues perches et de sectionner les cordages en s'éloignant à toutes rames. Les Vénètes se rendirent et César marqua de son sceau la victoire en faisant exécuter leurs chefs et en réduisant la population en esclavage.

Une route secondaire descend jusqu'à Saint-Gildas-de-Rhuys, aujourd'hui lieu de villégiature mais qui, au Moyen Age, était un lieu écarté et sauvage de Bretagne. Un moine gallois, Gildas ou Gweltas, y fonda un monastère au VIe siècle. Il passe pour avoir, avant son arrivée en Bretagne, converti au christianisme Taliesin, le plus célèbre des bardes gallois. L'église actuelle, datant principalement du XVIIe siècle, a conservé son chevet roman où se trouve, derrière le maître-autel, la tombe du saint. Saint Gildas doit son principal titre de gloire à son lien avec le père Abélard, le grand maître et philosophe du XIIe siècle, dont les relations avec Héloïse représentent une des plus grandes histoires d'amour de tous les temps. Né près de Nantes en 1079, Abélard devint professeur et ouvrit une école à Paris où il eut pour élève Héloïse, de vingt ans plus jeune que lui. Elle fut sa maîtresse et eut un fils de lui à qui fut donné le curieux nom d'Astrolabe ; un peu comme si un couple de scientifiques d'aujourd'hui décidait d'appeler son enfant Navette spatiale ou Electron ; l'oncle d'Héloïse, le chanoine de Notre-Dame, fit sauvagement châtrer Abélard, et Héloïse entra au couvent.

Après avoir soutenu une controverse théologique au moyen de ses écrits et de son enseignement, il fut accusé d'hérésie. C'est alors qu'il s'isola du monde en se réfugiant à Saint-Gildas dont il fut nommé abbé en 1126. Il prit en grippe l'endroit, trouvant la population locale « brutale et barbare » et les moines « indisciplinés aux mœurs dissolues ». A en croire son autobiographie — au titre, assez justifié, d'*Historia calamitatum (Histoire de mes malheurs)* —, ils essayèrent de l'empoisonner à plusieurs reprises et soudoyèrent des voleurs pour le faire assassiner à l'extérieur des murs du monastère. Il se résigna à vivre à Saint-Gildas pendant quelques années, puis retourna à Paris pour reprendre son enseignement. Il mourut au monastère de Cluny, en Bourgogne, en 1142, laissant en guise de testament littéraire, son autobiographie, ses ouvrages philosophiques, ses lettres passionnées à Héloïse et quelques hymnes latins.

Avant de quitter la presqu'île de Rhuys et de prendre la direction du retour sur Vannes, faites un petit détour par le château de Suscinio, non loin de la mer. C'est l'un des châteaux les plus sauvages de Bretagne. Il se dresse si près du rivage qu'à sa constructions ses douves se remplissaient ou bien se vidaient au rythme des marées. Le nom de Suscinio vient de l'ancien français *souci n'y ot,* sans souci, dénomination assez peu justifiée dans la mesure où un grand nombre de malheurs se sont abattus sur lui. Il a été construit du XIIIe au XVIe siècle, ce qui explique le contraste entre la grandeur austère de ses murailles extérieures et le luxe de ses aménagements intérieurs. Chaque chambre, par exemple, est dotée de sièges de fenêtre, d'une cheminée et d'un cabinet de toilette. On a peu à peu restauré le château pour lui redonner, dans la mesure du possible, son aspect original.

La guerre de Succession du XIVe siècle laissa sa marque sur Suscinio sous la forme d'une extension de ses murailles construites en pierre grise, contrastant avec le mélange de brun et jaune des autres côtés. Le nom de « brèche de Du Guesclin » qui lui a été donné provient de l'assaut mené par Du Guesclin en 1373 pour reprendre le château aux Anglais. Pendant la Révolution, il a été utilisé comme carrière de pierres et fut occupé un certain temps par les Chouans, lors de la campagne de Quiberon en 1795. Son aspect de forteresse impénétrable présente un lien ténu avec le monde des légendes puisque l'on raconte que la fée Mélusine chante dans ses souterrains...

Pont-levis et tours du château de Suscinio, qui se dresse près de la mer, sur la presqu'île de Rhuys.

N
Forêt de Fougères
Fougères
Rance
Canal d'Ille et Rance
Montmuran
Béchérel
Hédé
Guipel
Les Iffs
Dompierre-du-Chemin
Saint-Aubin-du-Cormier
Liffré
Forêt de Rennes
Ille-et-Vilaine
Cantache
Montfort
Rennes
Vitré
Concoret
La Saudrais
Forêt de Paimpont
Paimpont
Tréhorenteuc
Vilaine
Les Rochers-Sevigné
Plélan-le-Grand
Camp de
Pont du Secret
Coëtquidan Saint-Cyr
Janzé
Guer
La Guerche-de-Bretagne
Le Sel-de-Bretagne
Rétiers
Lohéac
Guipry
Bain-de-Bretagne
Messac
0
10
20 km

6
A la frontière de la Normandie

Vitré — Bain-de-Bretagne — Forêt de Paimpont — Montfort — Rennes — Fougères

Mon exemplaire de *La France du Nord* de Baedeker, qui est presque centenaire, dit de Vitré : « La ville a gardé quelques fragments de ses fortifications, un château en ruine, et un grand nombre de jolies maisons médiévales ; c'est à cet égard l'une des plus intéressantes cités de France ». Sauf pour le château, qui n'a plus du tout aujourd'hui l'air d'une ruine, la description est toujours valable. Toutefois, sans raison précise, les plaisirs qu'offre Vitré semblent très peu connus. Bien que son château ne soit pas aussi imposant que ceux de Josselin ou de Fougères, et que ses rues médiévales soient moins soignées que celles de Dinan ou de Vannes, elle a son propre charme tranquille, fait de l'unité profonde de ses constructions alliée à un séduisant paysage fluvial, les eaux calmes de la Vilaine amenant la campagne en plein cœur de la cité.

Vitré a connu au Moyen Age un développement de ville frontière ; à l'extérieur des murailles d'un château grossier du XIe siècle bâti sur un éperon rocheux au-dessus de la rivière, la majestueuse forteresse actuelle avec ses hautes courtines et ses tourelles pointues date essentiellement du XVe siècle. Pendant les Guerres de Religion à la fin du XVIe siècle, elle devint un centre calviniste et, au siècle suivant, le siège occasionnel des Etats de Bretagne.

L'une de leurs assemblées périodiques se déroula en présence de Mme de Sévigné, dont les lettres mondaines donnent une image inégalable de la vie pendant le règne de Louis XIV. Elle habitait le château des Rochers à l'extérieur de Vitré où elle possédait aussi une maison. Avec son amie Mme de Chaulnes, femme du gouverneur de Bretagne, elle assistait aux interminables et ennuyeuses festivités de la province. A propos de la fête qui ouvrit les Etats de 1671, elle écrivit ce compte rendu persifleur : « La bonne chère est excessive, on remporte les plats de rôtis comme si on n'y avait pas touché ; mais pour les pyramides de fruits, il faut faire hausser les portes. » Mais toute cette ostentation reçut son châtiment : « Cette pyramide avec vingt porcelaines fut si parfaitement renversée à la porte que le bruit fit taire les violons, les hautbois et les trompettes. »

Le château de Vitré est toujours le point central de la ville. Ses murs puissants de granit gris alternent en triangle, plan imposé par l'irrégularité du terrain, qui rend le château beaucoup plus compact et ramassé que la traditionnelle forme carrée ou rectangulaire. Une bonne part de sa ville close est prise par la mairie pseudo-gothique construite à l'intérieur des murs dans les premières années de ce siècle. On ne peut visiter qu'une moitié du château ; mais l'avantage, c'est de faire pénétrer la vie administrative quotidienne de la cité à l'intérieur même de ses murs.

Plusieurs tours ont été transformées en petits musées. La plus grande d'entre elles, la tour Saint-Laurent, regorge de

vestiges de la ville ancienne, dont une partie d'un magnifique escalier gothique en chêne, et une série d'aquarelles minutieusement exécutées en 1870 pour un programme de restauration du XIXe siècle (ce qui prouve que la conservation, en France du moins, a beaucoup plus d'ancienneté qu'on ne l'imagine généralement). A cette époque, Vitré avait certainement besoin de prendre des mesures de préservation car le chemin de fer Paris-Brest venait de découper brutalement une bande dans la moitié sud de la ville médiévale. La collection renfermée dans la tour de l'Argenterie, appelée le Cabinet des curiosités, est un mélange caractéristique du XIXe siècle : cela va des vitrines où sont soigneusement étalés et étiquetés des coléoptères, jusqu'à d'hideuses présentations de grenouilles empaillées faisant de l'escrime, dansant et se livrant à d'autres activités sans rapport avec la vie batricienne. L'élégante tour Renaissance de l'Oratoire, autrefois chapelle privée du château, abrite quelques émaux intéressants de Limoges, et divers objets religieux de valeur. Si vous suivez le chemin de ronde entre les tours, vous pouvez voir en bas des jardins buter tout droit contre le château, avec des enfants en train de jouer pendant que leurs parents arrachent les légumes.

L'église principale de Vitré, l'église Notre-Dame, est un édifice extraordinairement riche en pignons, construit au XVe siècle, en style gothique flamboyant. Le côté sud ne comporte pas moins de sept pignons, ainsi qu'une chaire de pierre en plein air adossée à l'un des contreforts, ornée de sculptures délicates et d'un pinacle ouvragé. Un étrange porche Renaissance, à l'entrée occidentale, contraste de manière incongrue avec la façade gothique qui l'entoure.

Entre le château et l'église Notre-Dame se trouvent les rues médiévales, en grande partie piétonnières. D'une irrégularité inhabituelle et d'un plan presque comparable à une grille, elles juxtaposent toutes les variétés de colombages, de revêtements de tuiles et de recherches décoratives que présentent leurs maisons.

La rues d'En Bas (elle monte en effet en pente raide du plus bas niveau) en compte quelques-unes parmi les plus belles, notamment l'hôtel du Bol d'or (c'est une maison privée et non un hôtel) avec l'extravagance de ses tourelles et ses additions en saillie faites au hasard des siècles. Dans le prolongement, la rue Poterie montre de jolies constructions anciennes, tout comme la rue Baudrairie, qui la coupe à angle droit. Mme de Sévigné a une rue qui porte son nom, en haut de la rue Poterie.

Continuez en dépassant le flanc sud de l'église, puis tournez à gauche pour arriver sur la promenade du Val et

Pont-levis et tourelles du château de Vitré, un des plus puissants du Moyen Age à la limite de la Bretagne et de la Normandie.

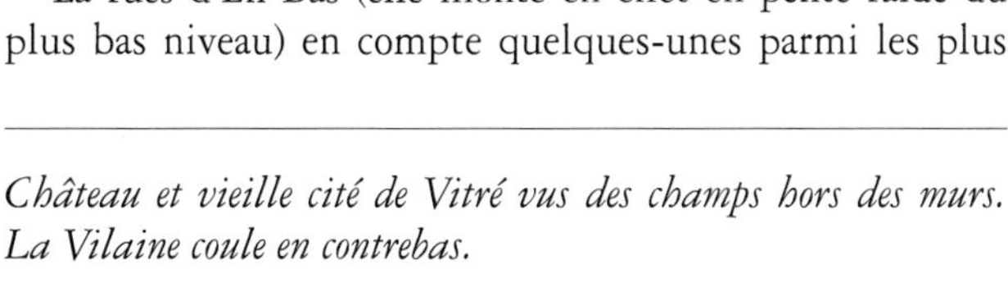

Château et vieille cité de Vitré vus des champs hors des murs. La Vilaine coule en contrebas.

Chaire de pierre ornée de sculptures délicates et d'un pinacle ouvragé ; construite pour les prêches en plein air, elle s'adosse au mur sud de l'église Notre-Dame de Vitré.

passez au pied des remparts démolis en direction de la Vilaine. La promenade se prolonge jusqu'à la partie nord des murailles, au-delà d'une poterne médiévale, et se termine à la courtine du château du haut de laquelle on a un large panorama sur les arbres et les jardins qui bordent la Vilaine. Sur la rive opposée se dresse le monastère moyenâgeux de Saint-Nicolas qui sert de résidence pour des handicapés et les emploie dans ses ateliers et ses jardins. Sa chapelle gothique est maintenant un petit musée dont l'intérêt essentiel est un joli tombeau à effigie d'environ 1500, qui fut sculpté par un aumônier du monastère.

Sortez de Vitré au sud par la D 88 qui mène aux Rochers-Sévigné, maison de campagne de Mme de Sévigné. On peut difficilement dire qu'elle est belle, mais elle a beaucoup de caractère ; elle est composée de trois bâtiments totalement séparés : le château du XVe siècle avec sa série de tourelles pointues, qu'elle avait reçu en héritage, une chapelle octogonale qu'elle construisit vers 1670, et de belles écuries classiques datant du siècle suivant. Les Rochers ont changé avec le temps : les écuries sont maintenant un club de golf décoré de tableaux représentant des greens célèbres de Grande-Bretagne. Le parc, qui faisait l'orgueil et la joie de Mme de Sévigné, a en grande partie fait place à des fairways, pelouses et bunkers d'un parcours de dix-huit trous. On ne visite du château que la chapelle décorée en gris, bleu et or, et la salle de travail où la marquise écrivait interminablement ses lettres en posant son regard sur le jardin.

Les jardins à la française menant au château ont encore leurs rangées de tilleuls, probablement les descendants de ceux que planta Mme de Sévigné. Elle adorait les arbres et décrivait ainsi ses plantations dans une lettre à sa fille : « J'ai trouvé ces bois d'une beauté et d'une tristesse extraordinaires ; tous les arbres que vous avez vus petits sont devenus grands et droits, et beaux en perfection ; ils sont alignées et font une ombre agréable. » Ailleurs, elle brosse un tableau charmant et animé d'une averse d'été qui l'a surprise au cours d'une promenade dans les bois avec son amie, Mme de Chaulnes : « Les feuilles furent percées dans un moment, et nos habits percés dans un autre moment. Nous voilà toutes à courir ; on crie, on tombe, on glisse ; enfin on arrive, on fait grand feu : on change de chemise, de jupe... on pâme de rire. »

Prenez la direction du sud en suivant la D 178 jusqu'à La Guerche-de-Bretagne, petit bourg possédant une place centrale bordée de belles maisons anciennes, et une église agrandie et reconstruite à diverses périodes. Ce qu'il a de plus curieux, c'est son nom qui viendrait de *werki,* mot d'origine franque signifiant colline fortifiée (le *g* étant l'équivalent du *w*, comme pour William et Guillaume).

De La Guerche, mettez le cap vers l'ouest en prenant la D 47 jusqu'à Rétiers, où vous trouvez des panneaux de signalisation qui vous indiquent la direction de La Roche-aux-Fées, un des plus importants monuments mégalithiques de toute la France. Aux environs de 3000 ans av. J.-C.,

Dans la petite ville rurale de La Guerche-de-Bretagne, maison médiévale au colombage raffiné, sur la place principale.

quarante blocs géants destinés à une allée couverte furent transportés là. C'était du schiste rouge qu'il a fallu déplacer à force de bras sur 4 km à travers champs. Les habitants de la région disaient qu'il était impossible de faire le compte exact des rochers parce que les fées qui leur ont donné leur nom étaient de connivence avec le diable, maître en duperie. Un couple, avant de se marier, devait en faire le tour, l'homme dans le sens des aiguilles d'une montre, la femme dans le sens inverse, tout en comptant. S'ils arrivaient au même nombre, la noce avait lieu, mais si les chiffres différaient, ils l'annulaient.

Faites route sur Jauzé dont l'église est d'une dimension exceptionnelle, puis suivez la D 777 en passant par Le Sel-de-Bretagne, autrefois centre du marché du sel. Vous arrivez à Bain-de-Bretagne, petite ville carrefour située sur la route principale entre Rennes et Nantes. Après avoir été étouffée par la circulation, elle bénéficie depuis peu d'une déviation moderne combinée à un système complexe de sens uniques. Elle mérite qu'on s'y arrête pour descendre en flânant jusqu'au paisible petit lac au sud de la ville. A une courte distance, près de la D 772, se dresse dans un bosquet l'austère chapelle du XVIIe siècle Notre-Dame-du-Coudray. Une pierre de son transept présente une cavité de la dimension et de la forme d'un pied d'enfant. Dans les temps anciens, les mères d'enfants affligés de problèmes de locomotion leur introduisaient les pieds dans ce creux, dans l'espoir d'une cure miraculeuse.

La statue de la Vierge que renferme la chapelle aurait été trouvée au XVIe siècle, après le sauvetage miraculeux d'un enfant qui se noyait dans une mare voisine. Comme sa mère assistait au drame, impuissante, des mains mystérieuses le tirèrent de l'eau et le déposèrent sur la rive. Quand on draina la mare, on découvrit la statue dans la vase et on construisit la chapelle pour l'abriter. On attribue à Notre-Dame-du-Coudray le salut de Bain-de-Bretagne vers la fin de la Seconde Guerre mondiale. En août 1944, les Allemands étaient sur le point d'incendier la ville et de fusiller douze otages, dont le maire et le curé, en représailles d'une attaque de la Résistance. Tandis que les paroissiens priaient la Vierge de les délivrer, des avions alliés apparurent providentiellement dans le ciel, un convoi de tanks américains entra dans la ville, et Bain-de-Bretagne fut sauvé.

Dirigez-vous vers le sud en empruntant la N 137, puis prenez à droite la D 57 jusqu'à la petite ville du Grand-Fougeray. A sa limite sud, le grand donjon du XIVe siècle est tout ce qui reste d'une importante forteresse de la guerre de Cent ans. En 1356, elle fut prise aux Anglais par Du Guesclin qui accomplit alors un de ses exploits les plus audacieux. Il se déguisa en bûcheron donnant le change par des bavardages pendant qu'il se rendait au château en compagnie de trente soldats portant du bois de chauffage. Une fois dans la place, ils jetèrent leurs fagots, tirèrent leurs épées et massacrèrent la garnison.

La D 69, dans la direction nord-ouest, vous mènera à Messac qui partage les bords de la Vilaine avec le village de Guipry situé sur la rive opposée de la rivière. A partir du port installé sur la Vilaine canalisée, des bateaux de croisière de toutes formes et tailles peuvent remonter le courant vers le nord jusqu'à Rennes et rejoindre le canal d'Ille et Rance navigable jusqu'à Dinan et Saint-Malo, ou le descendre vers le sud pour rejoindre à Redon le canal de Nantes à Brest.

Au-delà de Guipry, prenez la D 772 jusqu'à Guer en passant par Lohéac ; tournez alors pour suivre vers le nord la D 773 qui vous fait longer le camp de Coëtquidan Saint-Cyr, centre de formation des officiers situé à la limite d'un immense plateau de bruyère consacré en grande partie aux manœuvres militaires. Dépassez les casernes pour arriver à la petite ville de Paimpont, au milieu de la forêt à laquelle elle a donné son nom. Cœur légendaire de cette partie de la Bretagne, elle est étroitement liée aux histoires populaires du roi Arthur, de ses chevaliers et de tous les sorciers, enchanteurs, fées et damoiselles associés au personnage.

Quant à Paimpont, c'est une originale et attirante petite cité qui n'a qu'une seule rue principale. A l'entrée de la ville, une porte ancienne vous mène à une abbaye fondée au VIIe siècle. L'actuelle église, grand édifice ressemblant à une grange surmontée en son centre d'une tour trapue, date du XIIIe siècle et a subi nombre de modifications. Une aile des bâtiments monastiques est maintenant occupée par la mairie. Derrière l'abbaye, des sentiers rayonnent, à partir d'un lac paisible, dans les bois environnants.

Donjon sévère du Grand-Fougeray, seul reste d'une forteresse médiévale autrefois ceinte de courtines à neuf tours.

La forêt de Paimpont est tout ce qui reste de la vaste forêt de Brocéliande qui, autrefois, couvrait une grande partie de la Bretagne du centre. Il n'est pas question d'élaborer un circuit à travers la forêt. Mieux vaut vous contenter de vous y promener, à pied de préférence, à l'ombre des arbres ou bien dans les clairières, avec la certitude de vous perdre tôt ou tard, comme cela arrive dans toute forêt véritable. Un bon point de départ de votre exploration est le château de Comper, à 6 km environ au nord de Paimpont. Il ne reste du château médiéval que quelques murailles que l'on atteint en traversant des douves asséchées où l'on trouve un panneau portant cet avertissement contre un risque peu probable : Danger Vipères. Le château actuel est une ferme à pignon du XIXe siècle qui, de toute évidence, a connu des jours meilleurs. Il est presque complètement fermé ; seules deux grandes salles du rez-de-chaussée servent en été pour des expositions ayant comme thème les récits de la Table Ronde.

Les passionnés de l'endroit ont l'espoir de faire du château une sorte de centre arthurien, qui se justifie par sa position au-dessus d'un grand lac imprégné de légendes. C'est de ce lac que sire Lancelot tira son nom de Lancelot du Lac, c'est aussi sous la surface de ses eaux que se cachait le palais de la fée Viviane. La première fois que j'ai vu ce lac vers 1970, son niveau montait jusqu'aux arbres alentours et ses eaux venaient clapoter contre le talus au pied du château, mais en 1990, après plusieurs étés successifs de sécheresse, il avait rétréci d'environ la moitié de sa taille. Si jamais il s'assèche entièrement, qui sait quels fragments d'armures d'anciens chevaliers, quels ossements de héros entraînés à leur perte pourrait-on trouver enfouis dans sa vase ?

Viviane hante également la fontaine de Barenton, située à l'écart, au nord-ouest de Paimpont. Cachée en hauteur parmi les arbres, on l'atteint au bout de vingt minutes, en montant un sentier qui part d'un petit parking voisin du village de La Saudraie. Depuis que l'ouragan d'octobre 1987 a détruit à peu près la moitié des grands arbres, le bois est beaucoup plus pénétrable qu'il ne l'a été ; toutefois, il a gardé l'atmosphère magique d'une forêt restée inviolée depuis les temps préhistoriques. C'est là que Viviane tomba amoureuse de Merlin et l'emprisonna dans un cercle magique qu'elle traça autour de la fontaine.

Bassin bordé de pierres de la fontaine de Barenton. Ce fut, dit-on, un centre où les druides opéraient des guérisons, au cœur de la forêt de Paimpont. La forêt a également des liens légendaires avec le roi Arthur.

Il y a également une relation entre Barenton et les druides qui avaient établi là un centre d'enseignement. Il y a assez de chênes dans le voisinage pour accréditer cette éventualité (le mot druide dérive du grec *drus*, qui signifie chêne), et le bassin de pierre en forme de cercueil où jaillit la source est d'une dimension parfaitement adéquate pour l'immersion totale qu'aurait exigée le rituel. L'eau, qui a une température constante de 10°C contient beaucoup d'acide carbonique. Elle passe pour soigner le rachitisme et les désordres mentaux. Les druides, sans aucun, doute l'utilisaient pour leurs cures. Le nom du village en contrebas, Folle-Pensée, conserve peut-être comme une châsse, le souvenir des cures thermales que l'on suivait dans ces bois, il y a 2000 ans.

La tradition druidique et la légende arthurienne se rejoignent à Barenton à propos d'une pierre proche de la source appelée le perron de Merlin. L'enchanteur, souffrant de troubles nerveux, fut, dit-on, soigné dans la clinique des druides ; et c'est pendant son sommeil auprès de la fontaine que Viviane l'enveloppa de ses sortilèges. Autrefois, un gobelet d'argent était attaché par une chaîne à la pierre, et si un passant puisait un gobelet d'eau pour le jeter sur la pierre, aussitôt se déchaînait la pluie, suivie d'un vol d'oiseaux au chant suave. Pendant tout le Moyen Age, on crut à l'efficacité de ce rite. Un écrivain du XVe siècle nous raconte que chaque fois que le seigneur de Montfort venait à Barenton et versait de l'eau sur la pierre, « même s'il faisait chaud, il pleuvait à verse sur le pays ». Quatre siècles plus tard, Hersart de La Villemarqué a raconté que le même rite avait été accompli par le curé du village de Concoret sous forme « d'une procession précédée d'un crucifix et de bannières, accompagnée de chants et de tintements de cloches ». Mais hélas, en ce temps-là, le monde était devenu plus sceptique et, souligne Hersart, « personne ne n'a pu me dire si le prêtre avait réussi à faire éclater un orage en rassemblant les nuages ».

De Barenton, gagnez, à quelques kilomètres de là, la petite église de Tréhorenteuc, au bas de la colline. Elle a l'air, avec sa flèche, d'être venue de l'Angleterre du Sud s'égarer en Bretagne. Elle contient une foule de peintures et de vitraux, la plupart assez récents et disposés à l'endroit le plus lumineux, le chœur, qui représentent Arthur, ses chevaliers, la Table ronde, le Saint Graal, Excalibur et le reste du panthéon arthurien. La sainte locale, sainte Omenne qui abandonna tous ses biens et se fit religieuse, a aussi sa place dans ce décor, mais elle est inévitablement rejetée dans l'ombre par un tel déploiement de bric-à-brac moyenâgeux.

Tréhorenteuc est le point de départ d'une courte promenade autour du Val sans Retour. C'était autrefois la demeure de la sœur maléfique du roi Arthur, Morgane, qui y attirait par la ruse ses amants et les tenait prisonniers d'un charme. Ainsi, elle s'assurait de leur fidélité éternelle, puisqu'ils ne pouvaient jamais quitter la vallée. La dernière fois que je suis venu, il venait d'y avoir un incendie et le flanc de la colline était couvert de silhouettes de pins et d'ajoncs noircis par le feu. Mais les arbres à feuilles caduques entourant le lac au fond de la vallée étaient plus ou moins restés vivaces, et le vert de leur feuillage tranchait vigoureusement avec la désolation des alentours ; peut-être les flammes avaient-elles sauté par-dessus la vallée.

Tout près se trouve le seul véritable château de la forêt de Paimpont, le château de Trécesson, jolie forteresse miniature du XVe siècle qui se mire dans ses douves. On ne peut le voir que de l'extérieur, car c'est une propriété strictement privée. Non loin de Trécesson, j'ai pris un sentier pour chercher un lieu de pique-nique, et j'ai découvert une chapelle perdue dans la campagne, où l'on tient toujours des services malgré son air délabré ; elle est contiguë à des étables et à une ferme croulantes : trouvaille typique des trésors qu'on peut encore découvrir dans toute la Bretagne, à une centaine de mètres d'une route.

De retour sur la route principale (N 24) prenez la direction de Rennes en passant par le pont du Secret, un hameau au bord d'une rivière, où la reine Geneviève fit l'aveu de son amour à sire Lancelot. Après Plélan-le-Grand, tournez à gauche sur la D 61 vers Montfort, petite ville fortifiée surplombant le cours du Meu. Un château y fut construit vers 1100, détruit au cours du même siècle et rebâti vers la fin du XIVe ; son imposant donjon en pierres du pays rouges et vertes domine le centre de la ville.

Pendant des siècles, on appela celle-ci Montfort-la-Cane, à la suite d'un événement que la légende situe en 1386. Un jour vint au château une belle jeune fille d'un village voisin, apportant de la nourriture à son père qui travaillait aux fortifications. Le seigneur de Montfort l'enferma dans une tour quand elle repoussa ses avances. Elle invoqua alors saint Nicolas, saint patron des vierges en détresse et fut aussitôt métamorphosée en une cane, qui s'envola de la tour en laissant sur son rebord l'empreinte de ses pieds palmés ! Durant plusieurs siècles, une cane, suivie d'une file de canetons, venait régulièrement, le jour anniversaire de ce miracle, assister à la messe dans l'église de Montfort.

De Montfort, prenez la D 72, en direction du nord. Vous arrivez à Bécherel, autre petite ville fortifiée qui a conservé une partie de ses remparts et quelques maisons anciennes. Au temps de la féodalité, le seigneur de Bécherel avait un droit inhabituel (extraordinairement absurde) sur ses vassaux : le lundi de Pâques, il brûlait tout le chanvre ou le lin qui n'étaient pas prêts pour le tissage, afin d'apprendre aux femmes de la ville à ne pas être paresseuses.

Juste à l'ouest de Bécherel se dresse le château de Caradeuc. Surnommé le Versailles breton — bien qu'il soit loin d'être à la même échelle — à cause de la symétrie classique de son plan, il est situé sur une crête face au nord. Il fut construit vers 1720 par Anne-Nicolas de Caradeuc, homme politique breton. Au XVIIIe siècle, il appartint au fervent nationaliste breton La Chalotais qui s'opposa à l'autorité du gouvernement central de Paris. Il fut emprisonné pour ses convictions. Le château est entouré du plus grand parc à la française de Bretagne, avec de larges promenades gazonnées, parsemées de statues de personnages mythologiques et historiques. Il a perdu nombre de ses arbres magnifiques lors de l'ouragan d'octobre 1987, mais un programme de reboisement est actuellement en cours. (Le parc est ouvert au public, mais non le château.)

A l'est de Bécherel, de l'autre côté de la route principale (D 27), la petite commune des Iffs a la particularité de

Le château de Trécesson, du XVe siècle, à la lisière de la forêt de Paimpont, se reflétant dans ses douves. Non loin se trouve le Val sans Retour où, selon la légende, Morgane, la sœur maléfique d'Arthur, a emprisonné ses amants.

posséder à la fois une église superbe et un noble château. Son nom fait référence aux ifs plantés dans le cimetière. L'église, une des plus belles de la région, fut construite aux XIVe et XVe siècles en gothique flamboyant par la famille Laval, seigneurs de la ville de Tinténiac, qui habitaient tout près, à Montmuran. Le grand porche occidental a été prévu pour permettre aux lépreux de participer à la messe sans entrer dans l'église. Les magnifiques vitraux réalisés par des artistes bretons d'après des originaux flamands illustrent des thèmes comme Suzanne et les Vieillards, la Décollation de saint Jean-Baptiste et le Jugement dernier, avec des couleurs qui, depuis plus de quatre siècles, gardent leur intensité lumineuse.

Le château de Montmuran, forteresse des Laval, fut bâti par étapes, du XIIe au XVIIIe siècle. Il se dresse sur un promontoire rocheux au bout d'une longue allée plantée de chênes et de hêtres. Son imposant portail médiéval a encore son pont-levis en état de fonctionnement. C'est dans sa chapelle que Bertrand du Guesclin fut armé chevalier en 1354 et y épousa en secondes noces Jeanne de Laval, en 1373. Une des cheminées de Montmuran est pourvue en arrière de l'âtre d'un système unique en son genre de chaudière servant de chauffe-eau qu'on date du Moyen Age ou du XVIIIe siècle.

En Bretagne, toutes les routes mènent à Rennes et la plus directe en partant des Iffs est la N 137. Mais il existe des moyens bien plus agréables et paisibles de gagner Rennes. Passez d'abord par Hédé, charmante cité juchée sur le haut d'une colline, où vous pourrez voir une belle église romane du XIIe siècle, les ruines d'un donjon féodal et la plus spectaculaire série des onze écluses aménagées sur le canal d'Ille et Rance ; de Hédé, dirigez-vous sur le village de Guipel et, de là, prenez vers le sud la D 82 qui vous mènera à Rennes.

A la fois capitale de la région Bretagne et du département d'Ille-et-Vilaine, Rennes inspire un air de solide prospérité. La ville est traversée, en son centre, par la Vilaine dont le cours a été domestiqué au moyen de hautes digues

Vitrail rutilant du XVIe siècle, dans la chapelle des Iffs, près de Bécherel. De réalisation bretonne, il a été inspiré par l'art flamand.

de pierre et transformé par endroits en rivière souterraine recouverte, par besoin d'espaces de parking. De chaque côté du fleuve, les quais sont bordés d'immeubles cossus de style classique. La Vilaine coule en suivant exactement la direction est-ouest ; son croisement avec l'axe nord-sud, tout aussi régulier, se fait aux parterres fleuris qui ornent le devant du palais du Commerce. Rennes compte un des plus beaux parcs botaniques de France, le jardin du Thabor et son annexe le jardin des Plantes, où chaque espace vert resplendit de parterres de fleurs méticuleusement arrangées, les plantations changeant avec les époques de l'année.

Rennes (Roazon en breton) doit son nom aux Redones, tribu celtique de l'époque préromaine, dont la ville assez proche de Redon a conservé l'appellation d'origine sans altération. Au IIIe siècle ap. J.-C., c'était une cité puissamment fortifiée, implantée au point stratégique que

Majestueux perron du XVIe siècle, du château de Caradeuc (XVIIIe siècle). Cet édifice, implanté dans un beau parc, a été surnommé le « Versailles de la Bretagne ».

Sculpture de bois peinte représentant un paysan sur une maison de la rue de la Psalette à Rennes. La rue doit son nom à la salle où le chœur de la cathédrale s'exerçait à chanter des psaumes.

représente le confluent de l'Ille avec la Vilaine et située au carrefour de trois importantes routes romaines. On ne connaît pas grand-chose de la vie de Rennes sous la domination romaine, sinon qu'elle occupait probablement le même emplacement que la ville médiévale, autour de la cathédrale. A l'époque de la décadence de l'Empire romain, au Ve siècle, elle était le siège d'un évêché et était connu sous le nom d'Urbs Rubra, la ville rougeoyante, à cause des briques rougeâtres que les Romains avaient utilisées comme assises du mur de l'enceinte.

Commencez votre visite de Rennes par cette ancienne partie. La cathédrale Saint-Pierre est un édifice massif, à la façade d'un baroque empesé, construite de 1540 à 1700, et à l'intérieur du milieu du XIXe siècle, tout en dorures et en énormes colonnes vernissées ; son principal trésor est un retable flamand du XVIe siècle, illustrant des scènes de la vie de la Vierge. Tout près, se dresse la porte Mordelaise, entrée fortifiée par où passaient les ducs de Bretagne lors des processions solennelles qu'ils suivaient jusqu'à la cathédrale pour s'y faire couronner. Tout autour se serrent quelques rues bordées de maisons médiévales ; citons parmi elles la rue de la Monnaie, où se trouvait autrefois l'hôtel de la Monnaie de la cité, la rue de la Psalette, qui doit son nom à la salle où les choristes de la cathédrale s'exerçaient à chanter leurs psaumes. La place des Lices, considérablement restaurée depuis peu, évoque le jour où Bertrand du Guesclin affronta en tournoi ses compagnons de chevalerie.

Vous chercherez en vain à Rennes des quartiers moyenâgeux étendus, comme on en voit dans des villes telles que Vannes ou Quimper. En 1720, une grande partie du centre ancien, à l'est de la cathédrale, a été détruite dans un terrible incendie, provoqué, une nuit de décembre, par un ouvrier ivre qui avait mis le feu à son logement. Plus de neuf cents bâtiments furent dévastés par le feu ; mais les Rennais profitèrent de cette destruction pour concevoir un réseau quadrillé, flambant neuf, de maisons construites sur un modèle standardisé, avec une cave, un rez-de-chaussée à arcades pour boutiques et ateliers d'artisans, trois étages de logements et un grenier. L'austérité de la conception d'origine s'est trouvée, au fil des années, dissimulée sous une éruption d'enseignes de boutiques, mais la plupart d'entre elles sont maintenant enlevées, ce qui rend aux arcades leur simplicité première.

Le plus important des édifices qui aient échappé au feu fut le palais de Justice, autrefois le siège des Etats de Bretagne. Achevé autour de 1665, il présente une façade, avec deux étages et un grand toit mansardé conçu par Salomon de Brosse (1571-1626), architecte du Palais du Luxembourg à Paris. Parmi les salles que l'on visite, la plus spectaculaire est la Grande Chambre du parlement de Bretagne, avec ses très riches peintures et dorures, et ses tapisseries accrochées au mur. Les deux loggias en saillie étaient réservées aux dames désireuses de suivre les débats des Etats ; c'était la plus petite des deux que Mme de

Exceptionnel alignement de maisons à colombage, sur la place des Lices, cœur médiéval de Rennes. Une grande partie de la vieille ville a été détruite par un incendie en 1720.

Sévigné utilisait fréquemment. Elle décrivait le palais de Justice comme « le plus beau de France ».

A peu de distance au sud du palais, en allant vers la Vilaine, se trouve l'église Saint-Germain, qui marque la limite atteinte par l'incendie de 1720. C'est la plus intéressante des églises anciennes de Rennes. Datant des alentours de 1500, elle est de forme étrange et possède un intérieur fort noble, avec un beau vitrail dans le transept droit. L'autel est surmonté d'un impressionnant baldaquin peint en blanc et agrémenté de dorures. En haut de la colline, en partant du fleuve, est érigée la grande église de Notre-Dame-en-Melaine, seule trace du monastère bénédictin qui se dressait là autrefois. L'église dissimule derrière une façade baroque un intérieur médiéval, et une fresque du XVe siècle ornant le transept sud mérite d'être vue.

Derrière Saint-Melaine, l'ancien jardin des moines est maintenant devenu le jardin du Thabor, implanté sur le haut plateau de Rennes et probablement appelé ainsi par les moines, en référence au mont Thabor de la Bible. Tracé, pour l'essentiel, dans la seconde moitié du XIXe siècle, c'est une démonstration parfaite de l'art du jardinage à la française avec ses parterres de fleurs étroitement serrées, représentant des motifs décoratifs abstraits, des silhouettes d'animaux ou les armoiries de Bretagne. Vous pouvez flâner sur les pelouses du parc, à l'ombre de magnifiques espèces d'arbres, consommer une boisson à l'orangerie au toit en verre ou découvrir l'immense roseraie où des centaines de variétés portant un label sont disposées en cercles concentriques séparés par de petites allées. Vous pouvez même disputer une partie de ping-pong sur une table en plein air, protégée des intempéries aussi bien que des vandales, puisque faite en pierre et pourvue d'un filet métallique.

Non loin de là, rue Hoche, j'ai trouvé une boulangerie vendant plus de trente sortes de pain, parmi lesquelles le « pain de Berlin » à manger avec du poulet, le pain au cumin pour aller avec des fromages forts, les pains au chocolat, les pains aux oignons, le pain à l'anis et le pain biologique, dont le nom fait penser à un régime diététique poussé jusqu'à l'exagération. Le propriétaire, M. Cozic, recherche les anciennes méthodes de fabrication et les diverses recettes qui risquent de disparaître. Son pain, en tout cas, vous change des éternelles baguettes du matin, midi et soir.

En descendant du Thabor par la rue Gambetta, vous passez devant l'édifice de Rennes à l'évidence le plus impressionnant : le palais Saint-Georges, palais massif à arcatures construit en 1650 en tant que couvent des Bénédictines, il porte encore aujourd'hui le nom de Magdelaine Lafayette (l'abbesse commanditaire de l'abbaye), inscrit en lettres énormes au-dessus des arcades. Tout ce que nous venons de décrire se trouve du côté nord de la Vilaine, qui est la partie la plus intéressante de Rennes à visiter à pied. Pourtant, le principal musée de la ville est situé de l'autre côté du fleuve, sur le quai Emile-Zola, abrité par une sobre construction de pierres, du milieu du XIXe siècle. Il y a, en fait, deux musées en un : les Beaux-Arts au premier étage, présentant quantité de peintures hollandaises et italiennes, et le musée de Bretagne, au rez-de-chaussée, qui est, en soi, un résumé de l'histoire de la région.

Comme on pouvait s'y attendre, les Beaux-Arts possèdent une bonne quantité de tableaux d'artistes bretons. Une gigantesque toile de Charles Cottet, peinte en 1903, montre un groupe de femmes de Plougastel, en coiffes, assises en train de pique-niquer sur l'herbe, tandis que, derrière elles, la procession du pardon de Sainte-Anne-de-la-Palud se déroule autour de la chapelle. Il y a également plusieurs peintures de ports et de scènes de rue réalisées par Jean-Julien Lemordant, né à Saint-Malo en 1878 et très productif dans les dernières années du siècle. Outre ses peintures, le musée des Beaux-Arts possède une belle collection de poteries originaires de Rennes, Quimper et Dinan.

Au musée de Bretagne, vous pouvez vous instruire sur la géologie de la Bretagne, méditer des documents importants sur des épisodes de l'histoire bretonne, contempler des lits clos traditionnels, des coffres et d'autres éléments de mobilier ou examiner des collections de costumes, allant des habits à l'allure puritaine de Saint-Malo jusqu'aux vêtements d'aspect riant de la région de Cornouaille. Une section moderne audio-visuelle présente les événements et les mouvements sociaux qu'a connus la Bretagne dans les dernières décennies, comme l'exode rural, le chômage, l'impact

Le jardin du Thabor à Rennes, le plus bel exemple des jardins à la française dans une ville justement réputée pour ses jardins publics.

du tourisme sur la région, et la renaissance de la conscience de l'identité bretonne.

Pour Rennes elle-même, l'événement à la portée historique la plus importante fut la Révolte du papier timbré qui eut lieu en 1675. Elle tire son nom du papier timbré employé pour la rédaction des documents officiels. Colbert, le ministre des Finances de Louis XIV, avait imaginé l'utiliser pour se procurer de l'argent. Les taxes ne touchèrent pas seulement le papier timbré mais s'étendirent au tabac et à la vaisselle d'étain. La révolte commença à Bordeaux en mars 1675 ; mais dès avril, les Rennais prirent la suite. Le centre de distribution de tabac fut mis à sac comme le furent les bureaux concernés par le papier timbré et les recettes fiscales.

C'est au duc de Chaulnes, gouverneur de la Bretagne et ami de Mme de Sévigné que fut donnée la mission de réprimer la rébellion qui, au milieu de l'été, s'était étendue à presque toute la Bretagne et prenait la proportion d'une vraie révolution. Des bandes organisées de paysans, appelés les Bonnets rouges, à cause de leur couvre-chef caractéristique, battaient la campagne, encourageant leurs compatriotes non seulement à cesser de payer les lourdes taxes mais encore à rompre les chaînes féodales du travail réglementaire qui les liaient à leur suzerain et à ne plus s'acquitter de la dîme levée pour entretenir le curé de la paroisse.

La révolte prit fin aussi rapidement qu'elle avait commencé, quand Sébastien Le Balp, son seul chef compétent, fut assassiné et que ses partisans furent dispersés. Le duc de Chaulnes se livra alors à de terribles représailles contre les paysans, en les faisant pendre par douzaines sans jugement. Après avoir ainsi maté la campagne, il s'en prit à Rennes où il rasa jusqu'au sol un des faubourgs les plus prospères, puis il transféra les Etats à Vannes. Les meneurs de la révolte furent pendus ou écartelés et 10 000 hommes de troupes furent postés pour l'hiver en Bretagne, où ils se conduisirent en véritable armée d'occupation, pillant les maisons, violant les femmes et défenestrant les chefs de famille. Au début de 1676, une amnistie fut proclamée et la Bretagne revint lentement à la normale. Rétrospectivement, la Révolte du papier timbré apparaît comme une avant-première de la Révolution qui devait éclater un siècle plus tard.

Autour de son centre historique, la ville de Rennes s'étend sur deux kilomètres environ jusqu'à sa rocade (boulevard circulaire) qu'elle a même débordée par endroits. Avec son complexe universitaire — l'un des centres d'enseignement de l'électronique les plus modernes du monde — au nord-est de la ville, ses immeubles-tours de l'âge de l'espace, ses équipements sportifs et son expansion industrielle, Rennes est la seule ville de Bretagne qui soutienne la comparaison avec d'autres métropoles de France, comme Lyon ou Tours. (J'exclus volontairement de cette estimation Nantes, qui ne fait plus partie de la Bretagne). Pourtant, en dépit de son air cosmopolite, Rennes a conservé une âme totalement bretonne, comme en témoigne sa célébration annuelle (en juillet) des Tombées de la nuit, un festival consacré aux manifestations artistiques bretonnes.

En quittant Rennes, traversez les banlieues du nord-est et prenez la N 12, la route de Fougères qui coupe, en ligne droite, à travers les arbres majestueux de la forêt de Rennes, l'un des poumons les plus importants de la ville. Par bonheur, vous pouvez bientôt oublier les files interminables de véhicules pour prendre une des petites routes du réseau qui quadrille la forêt. En dehors de la région de Paimpont, la forêt de Rennes, avec ses prolongements autour de Liffré et de Saint-Aubin-du-Cormier, constitue l'une des parties les plus boisées de la Bretagne.

Saint-Aubin est célèbre dans l'histoire bretonne pour avoir été le lieu où l'indépendance de la Bretagne a reçu un coup mortel, malgré une certaine autonomie qui a duré jusqu'à l'union totale avec la France en 1532. En 1488, l'armée française, sous le règne de Charles VIII, envahit la Bretagne, après que le duc François II eut fait alliance contre les Anglais, et le 28 juillet de cette année-là, une force disparate composée des Bretons et de leurs alliés fut mise en déroute par les Français, sur la lande au nord de Saint-Aubin. L'emplacement de la bataille est signalé par un monument commémoratif en granit, au bord de la D 794, à un kilomètre au nord de la N 12. Erigé pour le cinq-

La ville de Saint-Aubin-du-Cormier est dominée par une immense basilique construite autour de 1900, mais d'apparence romane.

centième anniversaire de la bataille, ce mémorial honore « tous ceux qui sont morts pour l'indépendance et l'honneur de la Bretagne », faisant état de 6000 Bretons, de 3500 Gascons, Basques et Espagnols, 800 soldats du Saint-Empire Romain et de 50 archers anglais. Cette indication nous renseigne sur le nombre et la nationalité des mercenaires qui offrirent leurs services dans l'Europe du XVe siècle, déchirée par la guerre.

La petite ville de Saint-Aubin est de l'autre côté de la nationale, dominée par une grande basilique grise, qui, à première vue, paraît romane, mais qui, en fait, ne date que de 1900 environ. Derrière l'église s'étendent les ruines d'un château féodal qui avait été construit, en position dominante, sur son éperon rocheux au-dessus de Couesnon. Les restes de ses murailles, une haute tour ronde d'une trentaine de mètres et une rosace dans ce qui subsiste de la chapelle, rappellent sa magnificence passée. Son existence fut éphémère : achevé seulement en 1486, il fut démantelé deux ans plus tard, sur l'ordre de Charles VIII.

En contraste avec les ruines délabrées du château de Saint-Aubin, le château de Fougères, 20 km plus loin sur la route, est l'exemple même de la grandeur militaire au Moyen Age. En été, des oriflammes multicolores flottent sur les toits coniques de ses tourelles ; ses murs puissants, au pied desquels on trouve maintenant des jardins-cafés et des parkings, paraissent encore capables de tenir en respect une armée d'invasion, comme ils le firent pendant des siècles. Le plan du château est dû principalement au baron Raoul II de Fougères qui le fit reconstruire en 1173, après sa destruction par Henri II d'Angleterre, dans la décennie précédente. Elément principal de sa gloire, ses tours aux noms poétiques comme la tour Raoul, la tour Surienne, la tour Mélusine, et la tour du Gobelin, datent pour l'essentiel des XIVe et XVe siècles. Le site est curieusement choisi : en contrebas, dans la vallée, et dominé par le haut plateau où se tient aujourd'hui l'essentiel de la ville de Fougères. L'affleurement rocheux, sur lequel le château est construit, était à l'origine entièrement entouré des méandres d'une rivière, le Nançon, à l'exception d'une étroite langue de terre à l'entrée principale.

Courtine garnie de tours du château de Fougères qui rivalise en taille avec celui de Vitré. Son anneau de tours de défense est l'exemple même de l'architecture militaire au Moyen Age.

Outre l'envergure de ses murailles et de ses tours, qui à elles seules méritent une visite, le château abonde en détails passionnants. A l'entrée, on trouve un groupe de quatre roues hydrauliques à aubes qui autrefois permettait de moudre le blé nécessaire à la garnison. A l'intérieur du château, mettez-vous en quête de la tour Coigny, une tour fortifiée transformée en chapelle au XVIIIe siècle. La tour Raoul, une des plus imposantes, abrite un petit musée de la chaussure (périodes d'ouvertures irrégulières) présentant des souliers de toutes les formes concevables pour la torture des pieds, depuis le XVIIe siècle jusqu'à maintenant. Cette collection est particulièrement appropriée à la ville de Fougères, centre de fabriques de chaussures depuis les années 1860.

La ville basse, de l'autre côté des douves du château, représente un lieu de promenade agréable avec ses maisons à colombage et la belle église ancienne de Saint-Sulpice. Construite au XVe siècle en style gothique flamboyant, cet édifice se signale par la taille et la sveltesse de son clocher et de sa flèche couverts d'ardoise, flanquée de quatre petites flèches d'angle, pointues comme des aiguilles. Les gargouilles au niveau du toit sont exceptionnellement importantes et menaçantes. A l'intérieur, on trouve une statue miraculeuse de la Vierge allaitant l'enfant Jésus, que l'on a retirée des douves du château au XIVe siècle après qu'elle y eut été jetée par les Anglais. Une petite sculpture de granit au-dessus du porche sud représente la fée Mélusine — légendaire protectrice des Lusignan, seigneurs de Fougères autour des années 1300 — se peignant devant un miroir.

Au XVIIe siècle, un chapelain de Saint-sulpice, l'abbé Poussinière se rendit célèbre pour avoir offert à ses amis des cerises fraîches cueillies sur son cerisier, le jour de Noël, ou avoir fait tomber une douche d'encre sur des jeunes filles qui tournaient dans Fougères en paradant dans des robes trop décolletées à son goût. C'est également lui qui vola dans les airs, « aussi rapidement qu'une flèche », de Fougères à Rennes en cinq minutes au lieu des quatre heures et demie nécessaires pour faire alors le trajet. Ses pouvoirs, surnaturels ou imaginaires, ne le firent en tout cas pas apprécier des autorités ecclésiastiques et il mourut sur le bûcher en 1642 à Rennes.

Du château et de la ville basse, des rues à pente raide grimpent jusqu'à la ville haute, centre actuel des affaires de Fougères. De jolis jardins publics vous ménagent des vues exceptionnelles, au nord, sur le château et la ville basse jusqu'à un arrière-plan de falaises et, au sud-ouest, vers Rennes, sur une plaine boisée paraissant infinie. L'église Saint-Léonard, qui limite le jardin sur un côté, a des gargouilles aussi imposantes que celles de Saint-Sulpice.

Mais si elle paraît moderne en comparaison de la ville basse, la ville haute existait elle aussi au Moyen Age. Une grande partie en a été détruite par un incendie accidentel en 1710, comme cela s'est produit à Rennes à peu près à la même époque. Les maisons furent reconstruites au XVIIIe siècle, suivant un plan en quadrillage, et bâties en granit pour remplacer les colombages inflammables. Les deux principales artères de la partie reconstruite, la rue Nationale et la rue Chateaubriand, qui lui est parallèle, sont bordées de sobres immeubles de pierre hormis l'unique maison de bois qui ait survécu à l'incendie, avec une avancée sur le trottoir soutenue par des piliers.

Les plaques des rues à Fougères présentent une note d'originalité, comportant un résumé de l'histoire de la rue en question. Ainsi la plaque de la place du Théâtre raconte qu'elle occupe l'emplacement de l'ancien quartier du commerce du sel et qu'elle fut la première place en plein air à être aménagée dans la ville médiévale toute repliée sur elle-même. Immédiatement après la rue Nationale, se trouve la principale curiosité architecturale de la ville haute — un beffroi octogonal du XVe siècle, détaché.

Pendant la Révolution, Fougères fut le centre du mouvement royaliste des Chouans. Le marquis de La Rouërie, un des premiers héros de la chouannerie, né à Fougères en 1750, fut dépêché par les Etats en 1788 auprès de Louis XVI, pour plaider en faveur des droits des Bretons. En châtiment, le Roi le fit aussitôt jeter, pour un temps limité, à la Bastille. Mais en dépit d'un tel traitement, La Rouërie considérait que l'Ancien Régime valait mieux que tout ce que pouvait offrir la Révolution. Il fonda son propre mouvement antirévolutionnaire, l'Association bretonne qui prépara une véritable insurrection. Mais en 1793, avant même que celle-ci n'eût pu avoir lieu, La Rouërie apprit que le roi avait été guillotiné ; déjà à bout de forces, il mourut de saisissement quand il apprit la nouvelle.

Juste au nord de la ville, la forêt de Fougères servit de refuge aux Chouans ; à la lisière nord, la croix de Recouvrance était un de leurs premiers lieux de ralliement. En suivant les sentiers forestiers, sous de magnifiques hêtres, vous pouvez rencontrer toutes sortes de mégalithes et d'ouvrages encore inexpliqués, au-dessus et au-dessous du sol. Le plus mystérieux d'entre eux est une immense salle voûtée souterraine, qu'on a appelée les Celliers de Landéan. Raoul II, le constructeur du château de Fougères les aurait fait creuser au XIIe siècle, comme cachette souterraine pour y mettre des trésors en sûreté, à l'abri des Anglais. Vous pouvez aller jusqu'à l'entrée en descendant un escalier de pierre, mais la salle est tenue fermée et vous pouvez seulement vous faire une idée de sa dimension, en allumant une torche entre les barreaux d'une grille de fer.

De Fougères, vous pouvez retourner à Vitré directement, en empruntant la D 178, à moins que, pour une dernière expédition dans le puits sans fond de la légende bretonne, vous ne préfériez prendre la D 798 pour vous rendre à Dompierre-du-Chemin. Immédiatement au sud du village, près de la route qui passe au-dessus d'une rivière, la Cantache, un petit chemin vous mène en haut d'un profond ravin encaissé entre deux falaises rocheuses. C'est le site dit du Saut Roland où le grand paladin, revenant d'Espagne pour regagner son domaine en Bretagne, après avoir triomphé des Sarrasins, tenta sa chance une fois de trop. Plutôt que d'emprunter un itinéraire plus facile mais plus long, Roland pria Dieu de l'aider, éperonna son cheval et sauta par-dessus le ravin pour atteindre l'autre côté. Par bravade, il implora la Vierge et réussit à refaire son saut dans le sens inverse. Mais la troisième fois, quand il évoqua le nom de sa fiancée, le cheval, épuisé, manqua sa retombée et fut précipité dans le ravin, entraînant le héros dans sa mort. Les chroniqueurs réalistes nous rapportent que Roland est mort à la bataille de Roncevaux, mais les Bretons, comme toujours, racontent une plus belle histoire.

Le site du Saut Roland près de Dompierre-du-Chemin, où l'on raconte que le valeureux guerrier de Charlemagne a été précipité et a trouvé la mort, alors qu'il était toujours en selle.

Index